WUNDERRAUM

Lesen ist ankommen.

WLADIMIR KAMINER

Die Wellenreiter

Geschichten aus
dem neuen Deutschland

WUNDERRAUM

Das Virus zwingt uns still zu stehen.
Das ist die Rücksicht vor dem Tod,
Die Elend lässt zu hohen Jahren kommen.
Denn wer ertrüg der Zeiten Spott und Geißel,
Des Mächtigen Druck, des Stolzen Misshandlungen,
Den Übermut der Ämter und die Schmach?
Seine Geduld, sie wird sich lohnen.

Hamlet, *frei nach Shakespeare*

Inhalt

Kontaktpersonen der Kategorie II
in ihrer natürlichen Nahfeldexposition

»Wer hat das geschrieben?«, rief meine Tochter aus dem Bad. »Eine künstliche Intelligenz? Ich kann mir nicht vorstellen, dass so etwas Langweiliges und Ödes von einem Menschen aus Fleisch und Blut verfasst wurde, einem Menschen mit Herz und Seele! Und mit Bart!«

Nicole las *Das Kapital* von Karl Marx in der Badewanne. Sie hatte es bei Dussmann im Sonderangebot gekauft, Ledereinband, kleine Schrift, 768 dünne Seiten, die permanent nass wurden. Das Buch war eigentlich für eine Kommunisten-Freundin als Geburtstagsgeschenk gedacht, aber dann hatte Nicole beschlossen, es erst einmal selbst zu lesen, obwohl sie bereits einen Stapel ungelesener dicker Bücher von ihren Freunden zu ihrem eigenen Geburtstag bekommen hatte: über die Herrschaft der alten weißen Männer, über die Zukunft, die weiblich war, und über Black Lives Matter. Lauter Diskurse, die junge Herzen heute höherschlagen ließen.

Fast alle aus dem Freundeskreis meiner Tochter hatten im September Geburtstag, als wären sie nicht von guten

Eltern, sondern vom Weihnachtsmann. Nicole selbst sollte in diesem September 24 Jahre alt werden, aber die große Party war ausgefallen. Wegen Corona. Einige Freunde hatten Angst, andere mussten in Quarantäne. »Ich bleibe 23«, sagte Nicole, »wegen Corona fällt sowieso alles aus.« Sie hatte ihre Bachelor-Arbeit fertig geschrieben und sich für ein Masterstudium in Ethnologie immatrikuliert, doch den Master gab es dieses Jahr nur als Onlineangebot. Wer brauchte den Master in einem Onlinesemester? Also schimpfte sie über Karl Marx und ging in einer russischen Bar kellnern. Seit ein paar Wochen hatten sie dort einen neuen russischen Koch, der wie Karl Marx aussah, nur glatt rasiert.

»Du weißt doch, Papa, in jedem alten russischen Film gibt es diesen einen Typen, der die ganze Zeit schweigend am Tisch sitzt, melancholisch in die Ferne schaut und eine Zigarette nach der anderen raucht. Das ist unser neuer Koch!«, erzählte mir Nicole. Der alte war wegen Corona ausgefallen. Es war ja so viel ausgefallen. Die Menschen hatten entweder Angst oder Fieber, oder sie wurden vom Gesundheitsamt in eine zweiwöchige Quarantäne gesteckt, weil sie von jemandem, den sie gar nicht kannten, als Kontaktpersonen identifiziert worden waren.

»Sag nichts Schlechtes über Karl Marx!«, rief ich zurück. »Der ist in meinen Augen ein Prophet. Er hat vorausgesehen, dass der Kapitalismus eine Sackgasse ist und uns alle irgendwann zugrunde richtet. Er hat sogar Corona vorausgesehen, wie sonst wäre sein prachtvoller Schnurrbart zu erklären? Der Schnurrbart ist ein natürlicher Gesichtsschutz gegen Infektionen. Deine eigenen Viren bleiben darin stecken, und die fremden verlaufen sich darin. Deswegen haben die Polen so wenig Infizierte, weil so viele von ihnen Bart tragen.«

An der Ostsee waren im August in Heringsdorf alle Partys ausgefallen, während die Polen gleich um die Ecke völlig atemlos durch die Nacht feierten. Die deutsche Jugend lief also jeden Abend zum Tanzen über die Grenze nach Paprotno.

»Ein Bart schützt doch nicht vor Viren, er ist eher ein Virenfänger und -behälter!«, widersprach mir die Tochter. »Im Bart bleibt alles stecken. Die Polen haben wenig Infizierte, weil sie einfach weniger testen. Und Karl Marx hatte keine Ahnung von Corona. Er hat bestimmt als Kind nie vom Weihnachtsmann Besuch bekommen, weil ihm seine Eltern diese Weihnachtsmannlüge ersparen wollten. Das hat ihn sehr gekränkt, denn jedes Kind braucht etwas Geheimnisvolles, woran es glauben kann. Dieses Kindheitstrauma wollte er später mit überflüssigem Haarwuchs überwinden. Er wollte sein eigener Weihnachtsmann sein«, meinte Nicole.

»Na gut«, sagte ich, »oft sind es eben die Möchtegern-Weihnachtsmänner, die kommen, um uns zu warnen. Und er hat die Menschen gewarnt, der Kapitalismus sei ein System, das auf Ausbeutung und Versklavung aufgebaut ist, das Geld nur des Geldes wegen produziert und dem sich keiner entziehen kann. Es wird unter seiner eigenen Last, dem Elend, der Knechtung und Ausbeutung, die es hervorbringt, einstürzen und uns allen um die Bärte fliegen. Alle wissen das, alle nicken zustimmend und machen trotzdem weiter, noch einmal und noch einmal, bis ihnen das Geld ausgeht oder sie sterben. Und dann kommen die Nächsten und machen genauso weiter. Auch jetzt in der Corona-Zeit beschäftigten sich die meisten mit der Frage, wann sie zu ihrem alten Leben zurückkehren und endlich wieder so weitermachen können wie vorher, als wäre nichts gewesen. Nur das interessiert sie.«

Das Land bereitete sich gerade auf die zweite Welle vor. Die Bundeskanzlerin forderte die Einführung einer bundesweiten Warnampel und ein härteres Eingreifen in das innerstädtische Partyleben. Wenn es so weitergehe wie bisher, hätten wir zu Weihnachten 20 000 Infizierte täglich, warnte sie. Die Aussagen der Politiker klangen widersprüchlich. »Wir sehen Licht am Ende des Tunnels«, sagten sie: Die zweite Welle sei zwar unausweichlich und sogar bereits da, wir könnten sie aber verhindern, obwohl wir bereits mittendrin wären und nichts Gescheites dagegen unternehmen könnten. Auf uns warteten ein paar ruhige Monate. München ohne Oktoberfest, Weihnachten ohne Märkte, Karneval ohne Umzüge, der russische Impfstoff Sputnik »Los geht's« V und ein langes glückliches Leben im Homeoffice.

Die Russen prahlten bereits seit Wochen mit ihrem neuen Impfstoff. Sie impften alles und jeden. Vor allem waren sie darauf scharf, namhafte ausländische Gäste mit ihrem Vakzin zu beglücken. Gérard Depardieu hatte als Mitglied der Risikogruppe sofort eine ganze Kiste davon nach Hause geliefert bekommen. Angeblich hatten sich auch der Schauspieler Steven Seagal und der Italiener Prodi dieses Sputnik spritzen lassen. Prodi meinte später in einem Interview, eine Woche nach der Impfung hätte er plötzlich Russisch verstehen und Putin toll finden können. Böse Zungen hatten schon früher erzählt, die russische Führung wolle mit diesem Impfstoff das heikle Problem der Präsidentschaftswiederwahl 2024 ein für alle Mal lösen. Man munkelte, jeder, der sich auf die Impfung einließe, würde sie alle drei Jahre erneuern müssen, und zwar mit exakt demselben Stoff. Den würden sie aber nur bekommen, wenn sie den Präsidenten unterstützten. Es wäre für den Kreml eine enorme Erleichterung, die Wahl nicht mehr manipulieren zu müssen, sondern die Menschen wie in demokratischen Ländern einfach frei wählen zu lassen. Sollte doch jeder selbst entscheiden: Wollte er Putin oder einen qualvollen Tod. So erklärte der Volksmund die Großzügigkeit des Staates bei der Impfstoffverteilung.

Meine Herbstlesereise war nicht gänzlich ausgefallen, denn jede Stadt hatte sich bemüht, ein eigenes Hygienekonzept zu entwickeln. In den riesigen Stadthallen, in denen früher Tausende zusammen gefeiert hatten, durften jetzt nur noch 200 Menschen gemütlich beisammensitzen, mit gebührendem Abstand und Maske, versteht sich. Jeder hatte Platz für fünf und musste seinem Nächsten nicht auf die Glatze niesen. Nach dem Lockdown im Frühling waren die Kulturmotoren wieder ein wenig angesprungen, doch das Kulturauto blieb immer wieder stehen. Es war allen klar, dass jede Veranstaltung die letzte sein konnte. Es reichte ja schon, wenn einer hustete – schon war Schluss mit lustig.

In Lamspringe musste ich zwei Lesungen hintereinander abhalten, weil die Anzahl der verkauften Karten nicht mit dem Hygienekonzept des Schafstalls in Einklang zu bringen war. In Bad Elster wurde ich zu meiner eigenen Verwunderung zum Ehrenkünstler des König Albert Theaters ernannt, ich bekam einen Blumenstrauß und eine Urkunde. Seit vielen Jahren veranstaltete ich in diesem wunderschönen Theater schon Lesungen, war aber noch nie zum Ehrenkünstler ernannt worden. Wahrscheinlich lag es daran, dass sich nur ganz wenige Künstler trauten, im Jahr der Pandemie auf die Bühne zu gehen. In Hamburg hatte ich einen Auftritt in der berühmten Elbphilharmonie, dem neuen Hamburger Wahrzeichen von unsäglicher Schönheit und Eleganz. Die Wände im Saal waren von innen etwas provokativ mit erotischen halbkugeligen Tälern dekoriert, was die Menschen zum permanenten Anfassen der Wände animierte. An jenem Abend sollte ich Geschichten zum Thema Musik lesen und eine Russendisko veranstalten, die aber natürlich ins Wasser fiel. Wegen Corona. Also tanzte ich allein auf der Bühne, erzählte und las Musikgeschichten vor.

Die Hygienemaßnahmen in der Elbphilharmonie waren weitaus schärfer als in den ländlichen Gegenden. Man durfte nicht zu zweit in den Fahrstuhl steigen, mein Manager durfte die Garderobe nicht betreten, ich selbst sollte meine Maske erst auf der Bühne abnehmen und wegen der Schmierinfektionsgefahr möglichst nichts anfassen. Bereits bei der Tonprobe kam es zu einem Problem.

»Sie haben den Mikrofonständer angefasst«, sagte die nette Gastgeberin zu mir. »Jetzt dürfen ihn unsere Techniker nicht mehr berühren. Sie müssen nun allein mit dem Stativ zurechtkommen. Schaffen Sie das?«

Diese Strenge war aus der Not geboren, es war nämlich allen klar: Wir hatten nur eine Chance, bis der erste Zuhörer nieste. Danach würde die Philharmonie sofort geschlossen, und das Hamburger Wahrzeichen von Schönheit und Eleganz müsste eine zweiwöchige Zigarettenpause einlegen. Schnell weg hier, dachte ich.

Mein nächster Termin war zum Glück jenseits der verseuchten Großstädte auf dem Land in Nordrhein-Westfalen. Dort hatte ich in der Orangerie eines Wellnesshotels mit großem Park und viel frischer Luft eine Lesung. Alles an dieser Anlage wirkte jungfräulich gesund. Der Park prahlte mit allen Farben des Herbstes, nicht umsonst zählt er zu den schönsten Parkanlagen Deutschlands. Die Besitzerin hatte mich persönlich mit dem Auto vom kleinen Bahnhof abgeholt, sie trug ein schickes Kleid und außerdem eine Maske, um mich zu schützen. Es hieß ja immer, Masken schützten nur die anderen, nicht aber den Träger. In Russland sagten die Maskenkenner, es käme vielmehr darauf an, wie man sie trage: Setzte man sie nämlich verkehrt herum mit der Außenseite nach innen auf, würde sie den Maskenträger schützen, sein Gegenüber aber nicht. Richtig sicher wäre es daher, zwei Masken übereinander zu tragen – eine nach innen und eine nach außen gerichtet. Aber das machte keiner. Die Hotelbesitzerin trug ihre Maske jedenfalls ganz klassisch. Wie nett, dachte ich und fragte sie, wie es eigentlich mit Corona in ihrer Gegend aussehe.

»Gott sei Dank ist hier alles ganz locker«, erzählte sie. »Die Menschen haben Platz und können problemlos ausreichend Abstand zueinander halten. Wir waren lange Zeit sogar komplett Corona-frei, bis auf einen einzigen Fall, meinen Sohn.« Der junge Mann war von Leichtsinn und Neugierde getrieben zu einer verseuchten Open-Air-Veranstaltung nach Österreich gefahren und gesund und munter, wenn auch etwas gelangweilt, zurückgekommen. Zwei Tage später erreichte ihn die Nachricht, jemand, der auf diesem Festival mitgetanzt habe, sei positiv getestet worden. Also war der Sohn bei bester Gesundheit zum Arzt in die Klinik neben dem Hotel gegangen und hatte sich testen lassen. Er war ebenfalls positiv und ging für zwei Wochen in Quarantäne. Die Besitzerin und ihre ganze Familie mussten sich ebenfalls testen lassen, sie waren alle negativ. Es war ja auch ein großes Haus, und sie hatten sich nicht allzu doll umarmt. Der junge Mann hatte keine Symptome, keinen Husten und kein Fieber, rein gar nichts. Als er sich nach zwei Wochen noch einmal testen ließ, war das Ergebnis negativ, und die Orangerie des Hotels durfte weiter wie geplant ihre Veranstaltungen durchführen.

Es war ein schöner Abend in der Orangerie. Ich stand mit sicherem Abstand zum Publikum auf der Bühne, die Besitzerin saß zusammen mit ihrem Sohn in der ersten Reihe, alle freuten sich.

Am nächsten Tag fuhr ich nach Sachsen. Auf dem Weg nach Pirna bekam ich von meinem Tourmanager die Nachricht, die Hotelbesitzerin habe sich irgendwie schlapp gefühlt, sich aus bloßer Vorsicht noch einmal testen lassen und sei positiv.

»Das ist nun mal so. Das ist unser Berufsrisiko«, schrieb mir der Kollege. »Sie hat dich als Kontaktperson angegeben, du wirst also bestimmt gleich von deinem Gesundheitsamt angerufen. Bereite dich auf die Quarantäne vor. Das ist wohl nicht anders zu regeln.«

Dabei war es mir gerade so gut gegangen! Ich hatte dieses Reiseleben, meine Auftritte, das Publikum in der Zeit davor sehr vermisst. Ich hatte doch so viel vor! Schwetzingen, München, Wiesbaden! Und jetzt sollte ich das alles sein lassen und wieder nach Hause zurückkriechen? Nein, ich würde nicht in Quarantäne gehen, ich konnte doch nicht mein ganzes Leben hinschmeißen, nur weil jemand sich zu viele Sorgen machte. Ich war bereit, dieses Risiko einzugehen, es war schließlich mein Leben.

»Es geht aber nicht nur um dein Leben, sondern um das Leben anderer Menschen, die du in Gefahr bringst!«, konterte der Kollege. »Willst du wirklich riskieren, als Superspreader durch Deutschland zu ziehen und eine Spur des Hustens und des Todes in den Kulturhäusern des Landes zu hinterlassen? Viele deiner Leserinnen und Leser gehören zur Risikogruppe! Denk an sie! Außerdem wird dich das Gesundheitsamt über kurz oder lang sowieso kriegen. Sie haben jetzt Bundeswehrsoldaten zu Hilfe bekommen, die womöglich sogar das Recht haben, auf dich zu schießen!« Dazu schickte er mir eine frische Nachricht, gerade eben aus dem Netz gefischt: angeblich eine gesetzliche Verordnung, die lautete:

»Gelingt dem Infizierten dennoch die Flucht, darf die

zuständige Behörde diesen im Rahmen des Verwaltungs-
zwangs mit Gewalt wieder in Gewahrsam nehmen und in
Quarantäne unterbringen. Als letzte Möglichkeit darf sogar
von der Schusswaffe Gebrauch gemacht werden, da die Ansteckungsgefahr für eine Vielzahl von Personen so hoch ist,
dass es zur Verhinderung einer weiteren Ausbreitung gebo-
ten sein kann, flüchtige Patienten unschädlich zu machen.«

Meine Tochter entlarvte diese Horrormeldung sofort
als Fake News. Aber bis dahin dachte ich: Leck mich am
Arsch, sie werden mich erschießen. Sie werden mich ja-
gen und finden, eines Tages, am Rande des Teutoburger
Waldes oder in der sächsischen Prärie am Ufer der Elbe.
In meiner Fantasie hatte das Gesundheitsamt Pankow bereits Kopfjäger losgeschickt, die hinter mir her waren. Sie
würden meinem Terminkalender folgen und eiskalt aus der
Hüfte schießen. Der Film in meinem Kopf war ein wilder
Western. Darin lag ich im Hinterhof eines provinziellen
Kulturhauses, atemlos, mit fünf Kugeln in der Brust, post-
hum bei der Obduktion negativ auf Corona getestet, in
einem Krieg des Staates gegen das Virus sinnlos zwischen
die Fronten geraten.

Oh Mann, was für ein Tod, dachte ich und rief sofort
beim Gesundheitsamt Pankow an. »Hallo, hier ist Wladimir Kaminer, pfeifen Sie bitte Ihre Kopfjäger zurück, ich
möchte mich stellen!«

»Ach, Herr Kaminer, schön, dass Sie anrufen!«, grüßte

mich die freundliche Mitarbeiterin. »Ich möchte Ihnen sagen, Ihr Buch über das Rotkäppchen, das auf dem Balkon raucht, ist ja der Hammer. Wir haben sehr gelacht, im Ordnungsamt. Sie müssen unbedingt mal eine Lesung bei uns machen.«

»Überhaupt kein Problem«, sagte ich. »Aber sagen Sie bitte, bin ich jetzt beim Ordnungsamt gelandet? Ich wollte eigentlich das Gesundheitsamt anrufen.«

»Amt ist Amt, Herr Kaminer. Wir sind jetzt alle Gesundheitsamt, wir helfen den Kollegen.«

»Gut. Okay.« Ich war etwas verwirrt. »Wann wollen wir die Lesung denn machen? Ich könnte in zwei Wochen kommen, sobald ich aus der Quarantäne raus bin.«

»Na, warten Sie erst mal ab«, sagte die freundliche Stimme. »Wir haben hier eine Meldung vom Gesundheitsamt Höxter bekommen. Sie wurden von einer Hotelbesitzerin als Kontaktperson angegeben. Sagen Sie mir ehrlich: Wie nahe sind Sie ihr gekommen?«

Ich erzählte die ganze Wahrheit, nämlich, dass wir im Auto tatsächlich beide vorne gesessen hatten, aber dass das Fenster offen und die Dame maskiert gewesen war.

»Stand sie während Ihrer Lesung mit Ihnen auf der Bühne?«, wollte die Beamtin wissen.

»Nein, um Gottes willen. Sie saß mitten im Publikum in der ersten Reihe, weit entfernt von der Bühne neben ihrem Sohn. Und sie trug die ganze Zeit eine Maske.«

»Das ist eine komplizierte Geschichte. Ich muss das mit meinem Chef klären«, sagte die Beamtin. »Bleiben Sie, wo Sie sind, und halten Sie Abstand zu anderen Menschen. Von wo aus telefonieren Sie eigentlich gerade, Herr Kaminer? Wo befinden Sie sich im Moment?«

»Ich bin in Deutschland, in Pirna, am Ufer der Elbe. Ich sitze in einem Café mit einem Matjesbrötchen in der Hand. Neben mir sitzt ein älteres Ehepaar in ungefähr zwei Metern Entfernung. Sie trinken Kaffee ohne Maske. Darf ich das Brötchen jetzt aufessen, oder muss ich sofort hier weg?«

»Bleiben Sie, wo Sie sind, wir rufen Sie zurück!«, sagte die Gesundheitsfrau vom Ordnungsamt und legte auf.

Ich konnte nicht weiteressen, ich hatte keinen Appetit mehr. Da wird gerade über mein Leben entschieden, dachte ich, stand auf, ging ans Ufer und lief elbabwärts. Eine Stunde später wurde ich als Person zweiten Kontaktgrades eingestuft und musste nicht in Quarantäne.

»Sie sollten aber sehr vorsichtig sein und anderen Menschen nicht zu nahe kommen«, meinte die Beamtin.

»Mach ich, versprochen!«, rief ich. Ich durfte sogar weiter auf die Bühne, ich musste nur immer eine Flasche mit Desinfektionsmittel und eine Maske dabeihaben.

Trotzdem landete ich am Ende der Woche wieder zu Hause in Brandenburg und wusste nicht, was tun. Die meisten Veranstaltungen waren ausgefallen, und zum Angeln hatte ich keine Lust. Alle wussten, dass die Fische 2020 nicht anbissen. Und Pilze würde es in diesem Jahr wahrscheinlich auch nicht geben. Wegen Corona. Außerdem war es zu trocken, fast den ganzen Sommer war kein Niederschlag gefallen. Erst Mitte September hatte es angefangen zu regnen. Es schüttete ununterbrochen drei Tage und drei Nächte lang. Nur tagsüber, wenn der Regen kurz Mittagspause machte, kam die Sonne für fünf Minuten heraus und wärmte die nasse Erde ein wenig. Dann versteckte sie sich sofort wieder hinter dunklen Wolken, die wie aufgeblasene Euter einer Kuh aussahen, die seit drei Monaten niemand gemolken hatte.

Den größten Teil des Herbstes verbrachte ich im Bett. Der wahre Zauber des Lebens entfaltet sich ohnehin am besten im Schlaf. Ich träumte von wilden Verfolgungsjagden mit den Gesandten des Gesundheitsamtes. Sie suchten mich in Kneipen auf und schossen aus der Hüfte auf mich, während ich sie mit Exemplaren der Taschenbuchausgabe von *Rotkäppchen raucht auf dem Balkon* bewarf.

Eines Nachts riss mich ein lauter Knall aus dem Bett. Es hörte sich an, als wäre ein schweres Tier auf dem nassen Dach ausgerutscht und mit lautem Stöhnen in den Schornstein gefallen. Jetzt lag dieses Etwas hinter der Lüftungsklappe und atmete leise. Ich hatte keinen Schlüssel für die Lüftungsklappe. Wer oder was könnte das bloß sein?, überlegte ich. Ein Waschbär? Ein Marder? Vielleicht war es der Weihnachtsmann vom letzten Jahr? Womöglich hatte er es wegen Corona nicht mehr rechtzeitig nach Hause geschafft, bevor alle Grenzen geschlossen worden waren. Jetzt hatte er Husten, konnte keinen negativen Test vorlegen und wollte bei mir in Brandenburg das Ende der Pandemie abwarten. Aber was hatte ihn bloß aufs Dach getrieben?

»Hallo? Hören Sie mich?«, sagte ich laut und deutlich Richtung Lüftungsklappe. »Ich hoffe, Sie haben sich nicht verletzt!« Es kam keine Antwort, nur unverständliches Murren. »Wir haben erst den 24. September. Sie sind zu früh! Kommen Sie in drei Monaten wieder! Am besten mit einem Hygienekonzept – und vergessen Sie Ihre Maske nicht!«, sagte ich und ging leichten Herzens wieder ins Bett.

Notizen aus dem Risikogebiet

»Beginnen Sie Ihren Tag mit einem herrlich frischen Genießer-Vitalfrühstück vom Buffet« stand auf dem Schild
neben der Hotelrezeption. Das war leichter gesagt als getan. Während der Corona-Pandemie gaben sich die Hotels große Mühe, neue Ernährungskonzepte auszuarbeiten,
um das Virus nicht gleich zum Frühstück mit zu servie-
ren. Die Hoteliers wollten herausfinden, ob es möglich war,
die Gäste niveauvoll zu bedienen und gleichzeitig die von
den Landesregierungen vorgeschriebenen Hygienemaßnahmen einzuhalten. Der viel gelobte deutsche Föderalis-
mus hatte auch die Hoteldirektionen erfasst. Genau wie
die Landesregierungen waren auch sie der Meinung, nur
in ihrem Haus könne ein perfekter Plan für ein pandemie-
kompatibles Genießerfrühstück entstehen.

An der Schwelle zur zweiten Welle habe ich alle Früh-
stückskonzepte ausprobiert. In einem schicken Hotel in
Heidelberg beispielsweise sollte jeder Gast am Tisch auf
einen Zettel schreiben, was auch immer er zum Frühstück
haben wollte: »Wir erfüllen jeden Wunsch!«, versprach

die Küche. Die Gäste nahmen diese Aufgabe sehr ernst.
Wie es sich für ein Volk der Dichter und Denker gehörte,
schrieben sie, nein, sie dichteten sich ein Frühstück zusammen, jeder nach seiner Art. Manchmal fehlten jemandem
die Worte, dann hielt er oder sie kurz inne, strich das Auf-
geschriebene durch und begann aufs Neue. Die Gäste ent-
warfen das beste Frühstück der Welt und ließen dabei ihre
ganze Fantasie spielen. Am Ende aber bekamen doch alle
das Gleiche: ein Ei, ein wenig Schinken, Käse und Brot.

In einem Hotel in München mussten die Gäste außer
Masken auch Handschuhe tragen und sie vor jedem Gang
zum Buffet wechseln. In den glatten Einweghandschuhen
rutschte ihnen allerdings das Essen aus der Hand. Und da
die Türen zur Straße hin offen waren, um eine bessere Lüftung zu gewährleisten, riss außerdem der Wind die Handschuhe von Tischen und Böden. Wie kleine silberne Fledermäuse flatterten sie durch die Luft.

Die Kellner im Restaurant sahen aus wie Pflegekräfte in
einem Seuchenkrankenhaus. Sie trugen Corona-Schutz-
anzüge, die mich an meine Armeezeit erinnerten. Damals übten wir jungen sowjetischen Soldaten in ähnlichen
Gummikostümen die Abwehr eines Chemiewaffen-Ein-
satzes der amerikanischen Streitkräfte. Natürlich glaubte
niemand von uns, die Amerikaner könnten tatsächlich an-
greifen. Wir hatten ihre Soldaten in Hollywood-Filmen
gesehen, es ging ihnen gut. Sie hatten mehr als genug zu

essen, trugen schicke Uniformen, hatten geile Fahrzeuge und eindrucksvolle Waffen. Man musste als Amerikaner einen Vollknall haben, um solch eine wertvolle Ausrüstung für unsere trostlose Gegend zu verschwenden. Vor einem Angriff der Amerikaner hatten wir also keine Angst. Aber wir hatten große Angst vor unseren Schutzanzügen. Bei der Übung musste jeder in zehn Sekunden in seine Ausrüstung schlüpfen. Das Gummikostüm hatte allerdings abertausend Knöpfe, Verschlüsse und Abdecker. Einmal falsch zugeknöpft, kam man aus dem Kokon ohne fremde Hilfe nicht wieder heraus. Ich hatte ihn einmal im Stress falsch herum angezogen und konnte mich weder gegen chemische Waffen noch gegen meine eigenen Kameraden wehren, die mich von allen Seiten schubsten.

Das Genießer-Vitalfrühstück in Wiesbaden übertraf alles bisher Dagewesene. Das hessische Frühstücksbuffet wurde ausgesprochen reichhaltig aufgetragen, man durfte ihm bloß nicht zu nahe kommen. Jeder Gast musste dem Kellner aus sicherer Entfernung zurufen, was er auf seinem Teller haben wollte. Es bildete sich eine lange Schlange quer durch den Speisesaal. Die meisten nuschelten etwas Unverständliches in ihre Maske hinein, und auch die Kellner trugen selbstverständlich einen Mund-Nasen-Schutz. Sie konnten die Gäste nicht verstehen und sich nicht auf deren Bestellungen konzentrieren. Mir war schon früher aufgefallen, dass Menschen, wenn sie andauernd Masken tragen, nicht nur schlechter sprachen, sie hörten, sahen und dachten auch schlechter. Viele Genießer erwiesen sich obendrein als extrem kurzsichtig, sie konnten aus zwei Metern Entfernung das Essen auf den Tabletts nicht richtig erkennen. Vor allem aber wussten sie nicht, wie das hieß, was sie auf ihrem Teller haben wollten. Das machte die Zusammensetzung jedes Frühstückstellers zu einer Qual.

»Ich möchte bitte von diesem Rosigen da eine Scheibe – nein, nicht diese Scheibe, die andere, die zweite von unten. Ist das Käse oder Fisch?«

»Was wollen Sie?«, fragte der Kellner. »Einen Käsefisch? Das habe isch nisch.«

Ich langweilte mich in der Schlange zur Essensausgabe. Auf großen Monitoren an der Wand liefen Nachrichten ohne Ton. CNN, BBC, NTV, auf allen Kanälen sah man den amerikanischen Präsidenten, der hektisch durch die Gegend trampelte. »Donald und Melania Trump haben sich mit Corona infiziert«, lauteten die Untertitel. Der frisch Infizierte hatte anscheinend nicht vor, sich krankschreiben zu lassen und ins warme Bett zu schlüpfen. Er rannte von einem Bildschirm zum anderen, gestikulierte, schickte Luftküsschen oder schaute mit starrem Blick nach vorne, der Ungewissheit entgegen. Seine Haare, für die er letztes Jahr laut seiner Steuererklärung 70 000 Dollar ausgegeben hatte, standen senkrecht nach oben.

»Der amerikanische Präsident kann jetzt in der heißen Phase des Wahlkampfes nicht klein beigeben, er macht weiter wie geplant«, sagten die Kommentatoren lautlos und zeigten, wie Trump vor dem Weißen Haus tanzte. Er winkte nach allen Seiten, grüßte sein Wahlvolk, schüttelte Hände, kniff einem Sicherheitsoffizier in die Wange und schrie die Journalisten an. Der Ton war aus, aber man kannte seine Art und konnte ihn auch ohne Ton sofort verstehen:

»Mir geht es fantastisch!«, japste Trump. »Mir geht es hervorragend! Das Virus und ich, wir können wunderbar zusammenarbeiten. Es fühlt sich großartig an! Ich habe mich noch nie so gesund und fit gefühlt! Und dieses Gefühl möchte ich mit allen Amerikanern teilen, ich stecke euch alle an! Ihr werdet es alle bekommen! Demokraten und Republikaner, Schwarze und Weiße, Frauen und Männer, niemand wird leer ausgehen. Und die Chinesen werden uns für diesen Trip teuer bezahlen, sie werden sich hundert Jahre nur von ihren niesenden Fledermäusen ernähren, dafür sorge ich als Präsident der Vereinigten Staaten! Wählt mich jetzt!«

So ähnlich argumentierte Trump und lief an unserer schweigenden, atemschutzmaskierten Wiesbadener Schlange zur Essensaufgabe vorbei, von Monitor zu Monitor, von Bildschirm zu Bildschirm. Seine ebenfalls infizierte Frau Melania eilte ihm in High Heels und mit einer Packung Taschentücher in der Hand hinterher.

Ich hatte in Wiesbaden das erste Konzert mit meiner Band. Es war eine große Herausforderung, live vor einem Publikum zu singen ohne musikalisches Gehör und ohne Stimme, außerdem vergaß ich laufend den Text. Unsere pandemische Corona-Band »Kaminer & Die Antikörpers« stand zum ersten Mal auf der Bühne, und wir hatten auch nur einmal vor dem Konzert geprobt. Zum Glück waren nicht viele Zuhörer da. Die Veranstalter hatten nur achtzig Karten verkaufen dürfen, und die waren schnell weg gewesen.

»Ihr seid genau zum richtigen Zeitpunkt gekommen«, sagte der Veranstalter zu uns. »Einen Tag später wäre das Konzert nicht mehr über die Bühne gegangen, denn ab heute ist Berlin Risikogebiet. Wir hätten euch dann nicht mehr beherbergen dürfen.«

Die zweite Welle rollte mit erstaunlicher Wucht über Deutschland und spülte dabei auch einige neue Redewendungen ins Land. Das »Beherbergungsverbot« war zum Unwort des Herbstes geworden. Städte mit mehr als fünfzig Infizierten pro 100 000 Einwohnern in einer Woche wurden zu Risikogebieten erklärt, ihre Einwohner durften sich nirgendwo in Deutschland ein Hotelzimmer nehmen. Wir hatten in Wiesbaden also Glück. Gleich nach dem Frühstück setzten wir uns ins Auto und zogen uns in unser über alles geliebtes Risikogebiet zurück.

Dort verwandelte sich der von den Meteorologen versprochene Dreitageregen in eine Regenwoche. Die Berliner Straßen waren leer, nur ab und zu traf man auf nasse Köter, die ihre Besitzer an Leinen hinter sich herzogen. Die meisten Menschen saßen zu Hause und warteten ab, was kam. Nur Politiker, Länderchefs, Parlamentarier und Virologen trafen sich beinahe jeden Tag und besprachen neue, noch konsequentere Maßnahmen, um den Anstieg der Infektionszahlen zu verhindern. Das Virus forderte ständig weitere Opfergaben, und die Menschen wussten langsam nicht mehr so recht, was sie diesem Ungeheuer noch alles in den Rachen schieben sollten. Worauf könnten wir noch verzichten? Alkoholverbot nach 23.00 Uhr, Straßensperren, Restaurantschließungen nach 22.00 Uhr …

Die Spätverkaufsläden würden alle draufgehen, wenn sie nach Mitternacht kein Bier mehr verkaufen durften. Der Berliner Bürgermeister wandte sich mit einer gefühlvollen Rede an die Hauptstadtbewohner:

»Wer der Meinung ist, die wichtigste Aufgabe eines Menschen bestehe darin, um drei Uhr nachts auf der Straße oder in einem Spätiladen Bierflaschen zu leeren, in dessen Leben läuft etwas falsch«, sagte der Bürgermeister im Radio. Plötzlich hatte ich unheimlich Lust, auf ein Bier in einen Späti zu gehen. Ich machte mich auf den Weg zu meinem Lieblingsladen, wo der Fußballprofi Mustafa, auch Musa genannt, hinterm Tresen stand. Musa erzählte oft und gerne von seinem früheren Leben. Er will nämlich früher mit Podolski zusammen in der deutschen Nationalmannschaft gespielt haben. Wenn alles gut gegangen wäre, hätte er richtig viel Geld verdienen können, aber das Schicksal war gegen ihn. Nach einem schweren Unfall musste er dem Profifußball den Rücken kehren und hat jetzt einen Späti in Prenzlauer Berg.

Ich persönlich neige dazu, jedem zu glauben, der mir eine tolle Geschichte erzählt. Allerdings kann ich mich nicht dafür verbürgen, dass der Mann die Wahrheit sagt. Ich bin kein großer Fußballfan und kann diese Angaben nicht überprüfen. Zumindest hängen an den Wänden seines Ladens Fotos, die ihn mit Podolski zusammen zeigen, dabei hält unser Mustafa einen Fußball in der Hand. Von meinen Kindern, die hier auch gerne auf ein Bier einkehren, weiß ich, dass sich auch die großen Fußballliebhaber, die bereits in der 8. Klasse alle Spieler der deutschen Nationalmannschaft als Sticker in ihren Alben hatten, nicht an den Mann erinnern. Doch jetzt als erwachsene Menschen geben sie plötzlich gerne damit an, ihn zu kennen. »Hey, du, Mustafa! Dich kenne ich doch, hast du nicht damals mit Podolski gespielt?«, sagen sie zu dem Späti-Mann und bekommen von ihm dafür immer ein Bier umsonst.

»Wir müssen das Infektionsgeschehen in Deutschland positiv beeinflussen und das Leben der Bürgerinnen und Bürger besser schützen«, hatte der Bürgermeister gesagt. »Dafür werden wir härtere Maßnahmen ergreifen.«

»Na, bist du gut geschützt?«, fragte ich Mustafa. »Bleibst du auf, oder machst du zu?«

»Ja, sehr gut geschützt!«, nickte er, dann schüttelte er den Kopf und lachte.

Die Politiker gaben sich Mühe, sie wollten uns alle retten. Doch je heftiger man unser Leben schützte, desto belangloser wurde es. In vielen Bundesländern hatten im Oktober die Herbstferien begonnen, und die Eltern dachten, wenn sie schon mit ihren Kindern nicht ins verseuchte Ausland fahren durften, könnten sie zumindest irgendwo in Deutschland einen Kurzurlaub machen. Doch Deutschland entwickelte Risikogebiete wie eine Gürtelrose – jeden Tag kamen neue Stellen dazu. Die Stimmung war wie beim Pferderennen: »Frankfurt holt Berlin ein«, titelten die Zeitungen, »Stuttgart zieht langsam nach«, »Noch eine türkische Hochzeit, und Köln ist im Risikogebiet angekommen«.

Lustigerweise riss meine herbstliche »Rotkäppchen«-Lesetour nicht ab. Ich sprang von einem Ort zum nächsten und schaffte es immer gerade noch, die jeweilige Stadt zu verlassen, bevor sie zum neuen Risikogebiet wurde. Als ich beim Literaturfestival in Essen ankam, wurde ich als verseuchter Risikoberliner von den Einheimischen gehänselt. Am nächsten Morgen überschritt aber Essen ebenfalls die obere Infektionsgrenze. »Willkommen im Risikogebiet!«, gratulierte ich beim Frühstück den Kollegen und machte mich sofort auf den Weg zur nächsten Station. Ich dachte, wenn ich nur von einem Risikogebiet ins nächste reiste und die wenigen risikofreien Gebiete mied, würde ich die bundesweite virologische Situation nicht sonderlich beeinflussen. Ich dachte, irgendwann würden wir alle in einen Stall gebracht, aber solange es lief, würde ich weiterreisen und ernten, was noch da war: ein wenig Applaus, ein Lächeln, ein paar Euros. Noch waren Menschen mutig genug, um Karten für die Veranstaltungen zu kaufen. Erst wenn keiner mehr zu einer Lesung kam, brauchte ich auch nicht weiterzufahren.

Doch das eigentliche Problem mit Lesungen in Risikogebieten war nicht das mangelnde Publikum, sondern umgekehrt die zu große Nachfrage. Kaum stiegen die Infektionszahlen, wurde sofort die Zahl der genehmigten Klubbesucher reduziert. Einmal fuhr ich mit dem letzten Zug um 22.15 Uhr von Leipzig nach Berlin. In den Wagen saßen nur Kollegen: Comedians, Schauspieler, Sängerinnen und Fernsehfuzzis, die alle dienstlich in Leipzig bei irgendwelchen Talkshows als Gäste zu tun gehabt hatten und wegen des Beherbergungsverbots nicht mehr dort übernachten durften. Der Schaffner war begeistert, mit einem solchen Promizug nach Berlin zu fahren. Andere zahlten dickes Geld, um solche Menschen aus der Ferne zu sehen, und er hatte sie alle auf einmal im Bordbistro. Es gab zwar coronabedingt nichts zu trinken und nichts zu essen, dafür bekamen die Promis jede Menge Werbekekse der Deutschen Bahn auf den Tisch geschüttet.

Ein berühmter deutscher Kabarettist erzählte im Zug, er habe bereits vor Corona 2000 Karten für die Kölnarena verkauft. Nun durften aber nur 500 Personen hinein. Er musste die verkauften Karten trotzdem abarbeiten. »Okay«, sagte der Künstler, »wir haben eine Notsituation. Ich tue es zwar nicht gern, aber ausnahmsweise werde ich mein Programm dann eben vier Mal auf die Bühne bringen.« Kaum hatte er das gesagt, bewegten sich die Zahlen erneut nach oben, und es durften ab sofort nur noch 400 Gäste zur selben Zeit in der Arena zusammenkommen. »Ist ja gut«, stimmte der Künstler zu, »wenn ich schon beschlossen habe, vier Mal aufzutreten, kann ich es auch ein fünftes Mal tun.« Ein paar Hochzeiten später durften nur noch 200 Personen rein. Der Kabarettist müsste also zehn Mal hintereinander spielen, um die 2000 verkauften Karten abzuarbeiten. »Leckt mich am Arsch«, sagte der Künstler und kündigte alle seine Events und Auftritte vorsichtshalber bis August des folgenden Jahres.

Mir kann so etwas eigentlich nicht passieren, ich bin mit kleinem Publikum zufrieden, dachte ich und versuchte, mich nach Möglichkeit weniger mit dem Zug und mehr mit dem Auto zu bewegen und mich dabei nicht zu weit von meinem heimischen Risikogebiet zu entfernen. Falls ich keine Übernachtung bekommen konnte, hatte ich dann noch die Option, nachts nach Hause zu fahren. Zur Not konnte ich mich auch nach Nordbrandenburg ins Sommerhaus schleichen. Die Brandenburger standen dank ihrer natürlichen sozialen Distanz von 500 Metern ganz unten auf der Infektionstabelle, gaben sich jedoch als gesetzestreue Bürger manchmal übertrieben ordnungslieb und verpetzten die Besucher aus dem Risikogebiet Berlin an die Polizei.

Überhaupt haben die Deutschen großen Respekt vor dem Gesetz, auch wenn sie damit nicht immer einverstanden sind. Denn Ordnung muss sein. Warum eine Familie mit Kindern im verseuchten Berlin bleiben musste, in einem Wochenendhaus in Brandenburg aber nicht übernachten durfte, das verstand keiner. Doch es wurde penibel auf die Einhaltung des Gesetzes geachtet. Ein Fall in Neuruppin sorgte besonders für Aufsehen. Dort hatte eine Berliner Familie in ihrem Ferienhaus am Waldrand übernachtet, ohne jemanden zu stören. Sie wurde von den Nachbarn entdeckt und der Polizei ausgeliefert. Die Familie wurde des Nichteinhaltens des Beherbergungsverbotes beschuldigt und musste das Ferienhaus verlassen, sobald die Kinder wach wurden.

Mir war aber klar, dass auch die Brandenburger irgendwann an die Grenzen ihrer Ordnungsliebe stoßen würden, denn die Schere zwischen gesundem Menschenverstand und Corona-Maßnahmen klaffte immer weiter auseinander. Nachdem auch das harmlose Cottbus zum Risikogebiet erklärt worden war, verlangte die Landesregierung von den Kleinunternehmern, mindestens dreißig Prozent der Mitarbeiter ins Homeoffice zu schicken. Einer meiner Brandenburger Nachbarn, ein Kaminbauer, war jedoch der einzige Mitarbeiter seiner Firma. Welchen Teil von sich sollte er nun zu Hause lassen? Darauf war auch seine Frau gespannt. Das Kleinunternehmen meines anderen Nachbarn bestand aus ihm und seiner Frau. Sie hatten also ein wenig mehr Spielraum.

Doch gab es auch gute Nachrichten aus Berlin und Brandenburg. Zeitgleich mit der Einführung der Sperrstunde und des Alkoholverbots punktete der Supermarkt Netto Nord mit einem neuen Sonderangebot: »Die russische Seele«. Dahinter verbarg sich ein ungewöhnliches Set, bestehend aus einer Flasche Wodka Baikal, einem Gurkenglas und einer Tüte Russisch Brot für insgesamt 7,99 Euro, dazu zwei schicke Gläser für umsonst.

Meine Nachbarn, die Kleinunternehmer, fühlten sich sofort von diesem Angebot angesprochen und luden mich zur Verkostung ein. Durch die geheimnisvolle Welt der russischen Seelen brauchten sie einen Reiseleiter und hatten dabei gleich an mich gedacht.

Die Wodka-Marke Baikal hatte ich zuvor gar nicht gekannt. Mein Nachbar betrachtete die Flasche sehr genau, er rieb sie sogar ein wenig mit beiden Händen, als wollte er den geheimnisvollen russischen Flaschengeist wecken.

»Mal angenommen, der Flaschengeist würde sagen, du hast einen Wunsch frei. Was wäre das?«, fragte ich ihn. »Zwei Millionen in kleinen Scheinen? Oder dass die Viren keinen Schaden mehr anrichten und die Pandemie vorbei ist?«

»Ich habe kein Problem mit den Viren«, antwortete er. »Von mir aus kann es für immer so bleiben. Die Menschen sind stiller geworden. Ein wenig Ruhe kann nicht schaden. Es ist, wie es ist. Prosit!«

Die Seele war schnell alle. Am nächsten Tag fuhr ich zum Supermarkt, um für Nachschub zu sorgen. Er war voller Menschen, die neue Modekollektion mit Winterkleidung war nämlich endlich eingetroffen.

»Wir brauchen eine warme Jacke für die Schule«, sagte eine Mutter zu ihrer kleinen Tochter. »Zieh die hier bitte mal an und sag mir, ob du darin noch schreiben kannst.« Das Mädchen versuchte, in der dicken Jacke auf einem Karton seinen Namen zu schreiben. Ich fragte die Mutter neugierig, wieso man in einer Jacke schreiben können musste. Sie erklärte mir, die Schule habe angekündigt, dass die Kinder den ganzen Winter im Klassenzimmer mit offenen Fenstern sitzen würden, um eine gute Durchlüftung der Räume zu gewährleisten. »Ein langer, kalter Winter kommt auf uns zu«, habe die Lehrerin zu den Schülern gesagt: »Also Kinder, zieht euch warm an!«

Inzwischen hatte sich auch herausgestellt, dass der ganze Kampf gegen die Reisenden umsonst gewesen war. Bereits nach einer Woche wurde das Beherbergungsverbot in mehreren Bundesländern als unverhältnismäßig zurückgezogen. Wirte und Restaurantbesitzer hatten eiligst bei den überlasteten Gerichten gegen die Sperrstunde in der Gastronomie und gegen das Alkoholverbot geklagt. Beides habe keine nachvollziehbare Wirkung auf das Infektionsgeschehen in Deutschland. Die Gaststätten und Restaurants hätten immerhin Abstandsregeln und Hygienekonzepte für das gesellige Zusammentrinken eingeführt. Im Fall des Alkoholverbots würden sich die Menschen zu Hause treffen und besaufen, ohne Abstandsregeln und ohne Hygienekonzepte. Das Gericht in Berlin gab den Gastronomen Recht. Die russische Seele im Set für 7,99 Euro war trotzdem schnell ausverkauft.

Dann rief mich meine Mutter an und meinte, ich solle unbedingt vorbeikommen und mit ihr zusammen fernsehen. Das russische Fernsehen hatte nämlich ein neues nostalgisches Programm entwickelt: »Die Welt davor«. Sie sendeten die wichtigsten Nachrichten rückwärts durch die Zeit. Meine Mutter war gerade im Jahr 1982 angekommen, als ich sie besuchte. Der Nachrichtensprecher lobte das sowjetische Ernährungsprogramm und verkündete, es werde keinen Hunger mehr in unserem Land und möglicherweise bald auch auf dem ganzen Planeten geben. Generalsekretär Leonid Breschnew kündigte zum ersten Mal seit 1969 die Aufnahme von Friedensgesprächen mit der chinesischen Regierung an. Angeblich interessierten sich auch die Chinesen für das russische Ernährungsprogramm.

Meine Mutter schaute sich die alten News mit wissendem Blick an. Sie wusste genau, wie die Sache ausgehen würde: Gleich nach Einführung des Ernährungsprogramms verschwanden die letzten Lebensmittel aus den Regalen. Einen Monat später starb der hochgelobte Generalsekretär Leonid Breschnew, und die Chinesen übernahmen unser Ernährungsprogramm doch nicht, sondern ernährten sich weiter ungesund. Sie stopften alles Mögliche in sich hinein, aßen sogar einmal Fledermaus, wurden krank und steckten die ganze Welt an.

»Was schaust du dir denn da an, Mama? Du bist in dieser russischen Nachrichtenwelt ja vollkommen untergetaucht«, regte ich mich auf. »Dabei lebst du schon seit fast dreißig Jahren in Deutschland. Weißt du überhaupt, was hier los ist?«, fragte ich und suchte in ihrem Gerät ein deutsches Nachrichtenprogramm. Auf Phoenix lief noch immer Donald Trump herum. Angeblich war er schon wieder gesund und durfte zu seinen Wahlveranstaltungen fahren, obwohl die Ärzte sein positiv-negatives Testergebnis nicht der Öffentlichkeit präsentieren wollten. Die Nachrichtensprecher behaupteten, Trump wäre ein experimentelles Mittel verabreicht worden, das gerade eben von amerikanischen

Wissenschaftlern erfunden und bisher noch nicht an Menschen getestet worden sei, nur an Mäusen. Die wären aber alle schnell gesund und unglaublich aktiv geworden, hätten übernatürliche Fähigkeiten entwickelt, die Gitterstäbe ihrer Käfige durchgebissen und wären aus dem Labor weggerannt.

»Ich fühle mich so großartig!«, rief Trump wie ein angeschossener Elefant. »Mir ging es noch nie so gut! Ich möchte euch alle drücken und am liebsten den ganzen Planeten kräftig umarmen, bis es knackt! Unsere Medizin ist die beste der Welt! Unsere Wissenschaftler haben etwas Großartiges geschaffen, und ich will, dass ihr es alle bekommt, und zwar kostenlos! Ich möchte euch alle küssen! Ich möchte euch küssen!«

»Werden die Menschen des 30. Jahrhunderts jemals verstehen, was hier los war?«, fragte mich Mama.

Ich glaube nicht.

Der Wellenbrecher kommt

Auch Halloween wurde im Corona-Jahr 2020 verschoben und mit Weihnachten zusammengelegt. Von Tür zu Tür zu gehen, nach Süßem oder Saurem zu verlangen, Omas und Opas einer tödlichen Gefahr auszusetzen wäre in Zeiten der Pandemie nicht angebracht. Vielleicht könnten es später die Weihnachtsmänner übernehmen, den Kindern Süßes und Saures direkt nach Hause zu liefern. Vorausgesetzt, die Sperrstunde würde aufgehoben und die Weihnachtsmänner würden vom Gesundheitsamt zum Freigang zugelassen.

Wir lebten im Nebel. Wir hofften, wir glaubten an bessere Zeiten, doch niemand wusste, was kommen würde. Die Medien waren keine große Hilfe. Die Nachrichten klangen widersprüchlich, selbst geimpfte Russen erkrankten wieder, die Immunität hielt nicht lange, Kranke wie Genesene wurden jeden Tag neu gezählt, und alle starrten wie gebannt auf die Zahlen. Prompt schnellten sie in die Höhe, und die Menschen verloren die Geduld. Ließ sich diese Pandemie überhaupt eindämmen? An manch einem

Montag, wenn die Gesundheitsämter noch nicht alle Zahlen vom letzten Wochenende durchgegeben hatten, leuchtete ein kleiner Strahl der Hoffnung, man schien die Lage beinahe im Griff zu haben. Aber dann nieste am Dienstag wieder einer, und es ging von vorne los.

Ende Oktober trainierten die Kraniche und Gänse Brandenburgs zwar routiniert ihren Umzug in die Winterquartiere, sie waren allerdings unentschlossen. Würde der Winter dieses Jahr überhaupt kommen, oder fiel er auch aus – wegen Corona? Vielleicht hatten die Vögel wie die Menschen ihre Orientierung verloren und irrten im Nebel? Mein Freund Helmut, der als Aushilfshausmeister bei *der tageszeitung* in Berlin arbeitet, erzählte, ihm sei eine Waldschnepfe direkt gegen die Glasfassade des Verlagshauses geflogen und habe sich dabei verletzt. Laut Wikipedia hätten die Waldschnepfen bereits im September Richtung Süden ziehen sollen, nach Griechenland, Spanien und Israel. Vielleicht hatte sich dieser Vogel einfach verspätet und nicht bemerkt, dass sich seine Reisegruppe schon längst vom Acker gemacht hatte.

Auch für Waldschnepfen gilt: Wer zu spät kommt, den bestraft das Leben, dachte Helmut und beschloss, den verletzten Vogel direkt in der Nähe ins Jüdische Museum zu bringen. Dort gab es einen schönen Garten, in dem die Waldschnepfe glauben konnte, sie sei bereits in Israel angekommen. Gedacht – getan. Zwar musste Helmut erst einmal in der Sicherheitsschleuse mühsam mit einer Hand alle Metallteile abgeben – Schlüssel, Handy, Feuerzeug, Brille und Münzen –, die auf einem Band durchleuchtet wurden, aber er brauchte seine Corona-Schutzmaske währenddessen nicht aufzusetzen. Gleich nach der Sicherheitskontrolle wurde er in den Garten hinter dem Museum entlassen, nachdem alle Sicherheitsleute die Waldschnepfe mitleidig betrachtet und ihre Schönheit bewundert hatten. Er setzte den kleinen Vogel mit den großen Füßen vorsichtig ins Gras. Sofort lief er in die Hecke, und schon nach ein paar Metern sah man ihn in dem Zweiggewirr nicht mehr. Weg war die Waldschnepfe. Ein wenig traurig verließ Helmut den Garten.

Der Vogel würde bestimmt genesen, die lang ersehnte Genesung der Menschen war dagegen nicht in Sicht. Trotz aller Bemühungen des Corona-Kabinetts stiegen die Zahlen der Neuinfizierten rasant an, nicht nur in Deutschland. Irland hatte als erstes Land Europas einen neuen Lockdown verhängt, Tschechien folgte, dann ergriffen auch Slowenien und Frankreich drastische Maßnahmen, um die Menschen auseinanderzutreiben, damit sie sich nicht weiter gegenseitig ansteckten. Rundum von Risikogebieten umzingelt, hielt Deutschland stand und blickte tapfer der zweiten Welle entgegen. »Wenn wir uns alle vorbildlich benehmen, Masken tragen und Abstand halten, wird uns die zweite Welle verschonen. Wir werden der Welt zeigen,

Der Wellenbrecher kommt

wie wichtig Ordnung und Disziplin sind«, beschwor das Corona-Kabinett die Bevölkerung. »Wir« trugen Masken, »wir« hielten Abstand, »wir« wuschen uns pausenlos die Hände, doch hinter diesem »wir« gab es anscheinend jemanden, der all unsere Bemühungen zunichtemachte. Das Virus breitete sich ungebremst weiter aus.

In Talkshows diskutierten die klügsten Köpfe des Landes ausgiebig, wer Schuld daran haben könnte. Im Frühling hatte man die Schuldigen nicht lange suchen müssen, es waren die Chinesen mit ihrer Vorliebe für exotische Vorspeisen gewesen. Im Spätsommer war es die Jugend mit ihrer ungebremsten Lust auf Partys. Aber jetzt? Das Ende der Sommerzeit war längst vorbei, draußen war es für Partys zu kalt, drinnen waren sie verboten. Die letzte große Fetisch-Party an der frischen Luft, im Hinterhof eines Berliner Wohnhauses, war von der Bundespolizei wegen mangelndem Abstand und fehlender Schutzkleidung aufgelöst worden. Die Teilnehmer hatten angeblich außer Masken nichts an.

In Fernsehdebatten versuchten Ärzte und Politiker fleißig, den Schuldigen auszumachen, denjenigen, der auf unsere Hygienemaßnahmen hustete. »Wir« schauten aufmerksam auf die Karte. Wo waren die Hotspots in Berlin, wo im Ruhrgebiet? Schnell waren sich alle Anwesenden einig: Die Gefahr kam aus »fremden Kulturkreisen«. In diesen Kreisen waren die Menschen ununterbrochen am Hei-

44

raten, und wenn sie selbst schon verheiratet waren, wollten sie nun ihre Kinder und ihre Enkelkinder verkuppeln. Eine Hochzeit mit weniger als 500 Gästen wurde von der Verwandtschaft nicht als solche anerkannt. Außerdem sollte angeblich jeder der geladenen Gäste Braut und Bräutigam nach alter Sitte anhusten, damit deren Liebe nie verging. Auch hatten die fremden Kulturkreise in Deutschland ihre ganz eigenen Bars, in denen die Menschen nicht, wie es sich gehörte, in gebührendem Abstand zueinander am Tresen saßen und jeder an seinem eigenen, ganz individuellen Cocktail nippte. Nein! Diese fremden Kulturkreise gingen in Shishabars, wo sie dicht gedrängt nebeneinander im engen Kreis saßen, alle am selben Schlauch zogen und einander Rauch ins Gesicht pusteten.

Diese Theorie sorgte bei vielen Fernsehzuschauern für eine gewisse Erleichterung. Der durchschnittliche deutsche Bürger konnte in Ruhe ausatmen und sich einigermaßen sicher fühlen. Er mied Shishabars und war zu den großen Event-Hochzeiten der fremden Kulturkreise sowieso nicht eingeladen.

Kaum war die Sache mit diesen Kulturkreisen geklärt, wurde der deutsche Gesundheitsminister Herr Spahn samt seinem Ehemann positiv auf Corona getestet und musste sich in Quarantäne begeben. Ausgerechnet er, der sich vorbildlich gegen die Grippe hatte impfen lassen, niemals seinen Mund-Nasen-Schutz abnahm, mit Abstand und einer dicken Brille vor allen Infekten der Welt sicher zu sein schien, hatte als erster deutscher Minister Corona bekommen. Aus Frust und Pflichtbewusstsein hatte Herr Spahn mehr als hundert Kontaktpersonen angegeben, die daraufhin alle dringend kontrolliert und getestet werden mussten.

Die Bürgerinnen und Bürger, die er beinahe täglich zum Durchhalten aufrief, wurden nachdenklich. War Jens Spahn etwa in einer Shishabar gewesen, oder hatte er an der Berliner Fetisch-Party teilgenommen? An wessen Schlauch hatte er gezogen, auf wessen Hochzeit getanzt? Warum hat das Virus von allen Ministern des Corona-Kabinetts ausgerechnet ihn ausgesucht?

»Je länger wir mit dem Virus leben, umso weniger verstehen wir es«, sagte ein Regierungsvirologe.

Mit einem erkrankten Gesundheitsminister und von fremden Kulturkreisen angehustet, steuerte Deutschland auf einen neuen Lockdown zu. Die Bundeskanzlerin riss das Ruder an sich. Statt eines Lockdowns beschloss das Corona-Kabinett für November einen gezielten kapitalistischen Shutdown, einen sogenannten Wellenbrecher, in der Hoffnung, Weihnachten zu retten: Alle öffentlichen Einrichtungen, Theater, Clubs, Kneipen, Bars, Hotels und Restaurants, Museen und Fitnesscenter, mit einem Wort, alle Orte, die Menschen nicht ausschließlich zum Einkaufen aufsuchten, sollten geschlossen werden. Die Bürger sollten am besten vor laufendem Fernseher in einen vorgezogenen Winterschlaf fallen, einander einen Monat lang nicht sehen und nur zu Weihnachten kurz aufwachen, um auf die Zahlen zu schauen. Dann könnte es sein, dass wir im Dezember wieder vernünftige Fallzahlen hätten und die Feiertage in engen, gut beheizten und schlecht gelüfteten Räumen zusammen verbringen dürften, einander wieder ansteckten und gemütlich im Januar in den nächsten Lockdown rutschten. Dafür retteten wir die Weihnachtsmänner, und die Kinder könnten sich über Geschenke freuen.

Einen Tag vor Beginn des neuen Shutdowns habe ich rasch die notwendigen Vorbereitungen getroffen, bin zum Friseur gegangen, habe zwei Kisten guten Wein nach Hause getragen und die Nachbarn zur Verkostung eingeladen. Wer wusste schon, wann wir uns das nächste Mal sehen würden und ob überhaupt. Wir tranken ein Gläschen und gingen zum Rauchen auf den Balkon. Beide Nachbarn hatten sich in der Zeit der Pandemie großes medizinisches Wissen angeeignet und hauptberuflich als Virologen auf Spendenbasis wie am Fließband Zukunftsprognosen angefertigt.

Mein Nachbar aus dem Vorderhaus, zweiter Stock, der tatsächlich seine kranke Oma in die Charité hatte bringen müssen, prahlte mit seinem geheimen Insiderwissen. Er habe dort nämlich in der Kantine den Hauptvirologen Drosten getroffen und mit ihm zusammen zwei Flaschen Bier getrunken. Bei der zweiten Flasche soll ihm Drosten gesagt haben, das Virus verschwinde im März von allein. Wir müssten nur bis dahin durchhalten. In einem Jahr würden wir darüber lachen.

Mein Nachbar aus dem Erdgeschoss im Hinterhof, ein geborener Pessimist, meinte, dies sei eine absurde Hoffnung. Das Virus sei bereits vor uns da gewesen, es werde niemals verschwinden, wir müssten mit ihm zu leben lernen. Und wenn es doch irgendwann weg wäre, käme in einem Jahr ein neues auf uns zu. Deswegen sei der Lockdown nur eine Probe für die Zukunft. Die Regierung wolle testen, ob die Menschen bereit seien, auf ihre Freizeitaktivitäten zu verzichten. Die Bürger meckerten zwar, aber im Großen und Ganzen seien die meisten mit den Maßnahmen einverstanden.

Der Kampf des Staates gegen das Virus gestaltete sich nach dem Muster David gegen Goliath. Ein riesiger Apparat, die Ordnungs- und Gesundheitsämter, die Landesregierungen und die Bundespolizei, jagte die Mikroorganismen quer durch Deutschland. Sie schossen aus allen Kanonen in alle Richtungen und trieben ganze Branchen in den Ruin in der Hoffnung, dabei den Feind zu treffen.

Das erinnerte mich an meinen Vater, der sich einmal in den Kopf gesetzt hatte, die roten libyschen Ameisen in unserer Moskauer Wohnung zu bekämpfen. Dazu muss gesagt werden, dass uns die roten Ameisen damals nicht überfallen hatten, sie hatten bereits vor unserer Zeit in der

Wohnung gelebt. Alle unsere Nachbarn hatten die gleichen. Angeblich waren sie während eines kurzen Staatsbesuchs von Muammar al-Gaddafi 1985 zu uns nach Moskau gekommen. Sie hatten sich gut an die warmen Wohnungen der Moskauer angepasst und gehörten seitdem zu unserer natürlichen Umgebung. Doch mein Vater sah das anders. Er erklärte den Ameisen den Krieg. Er jagte sie in der Küche und im Bad, unter dem Herd und auf dem Fernsehtisch. Er versuchte es mit einem Handtuch, mit Feuer und Gift. Viel Porzellan wurde dabei zerschlagen, er hätte außerdem beinahe die Wohnung in Brand gesteckt und seine komplette Familie vergiftet. Am Ende der Kriegswoche musste er auf den Druck der Öffentlichkeit reagieren und seine Niederlage eingestehen. Danach hat er einfach so getan, als würde er die roten libyschen Ameisen nicht sehen.

Wir hatten den Krieg verloren. Die Ameisen hatten ihn, so vermute ich, gar nicht bemerkt. Der Krieg gegen das Virus konnte aber nicht so schnell zu Ende gehen. Das Virus war viel gefährlicher als die Ameisen, es bedrohte unser Leben. Wir alle wurden in die Virusbekämpfungsarmee einberufen, die vorderste Frontlinie ging durch jede Wohnung, nur der Feind blieb unsichtbar. Allein Kinder konnten ihn sehen. Der Kindergarten »Freche Störche« schräg gegenüber von meinem Haus blieb während des Lockdowns geöffnet, und die Erzieherinnen starteten einen Malwettbewerb: »Kinder malen Corona«. Jeden

Morgen klebten sie die neuen Bilder an die Fenster. Die meisten Coronas sahen aus wie unreife Kastanien, einige auch wie sowjetische Kosmonauten, aber alle hatten auf den Bildern beste Laune, sie lachten und tanzten. Die echten Kastanien lagen schon seit Langem auf dem mit Blättergold bedeckten Boden.

»Mama, Mama! Schau, Corona!«, rief ein Kind vor dem Kindergarten und hob eine Kastanie hoch.

»Schmeiß das bitte sofort weg«, sagte die Mutter müde.

Durch den angeordneten Wellenbrecher war ich vollzeitarbeitslos geworden. Alle Auftritte und Veranstaltungen waren weggebrochen. Ich packte die Weinflaschen aus der Kiste und verteilte sie im Kühlschrank. Ich bereitete mich auf eine tiefe innere Migration vor. Da erhielt ich plötzlich eine E-Mail mit einer Einladung zu einer Kreuzfahrt. Ich traute meinen Augen nicht. Eine Kreuzfahrt! Ein Wort aus längst vergessenen Zeiten. Wie war das nur möglich? Könnte es sein, dass sich irgendeine E-Mail aus dem letzten Jahr im endlosen Internet verlaufen und erst jetzt mit Verspätung zu mir gefunden hatte? Oder war das ein hämischer Witz eines falschen Freundes? Doch die Einladung war echt, sie kam von TUI. Mir wurde angeboten, als Vorleser auf eine Kreuzfahrt mitzukommen.

»Wir haben in der COVID-Zeit viel gelernt und unser Konzept überarbeitet«, schrieb mir die TUI-Mitarbeiterin. »Sehr geehrter Herr Kaminer, wir würden Sie gern an Bord als Unterhalter im Rahmen unseres Programms ›Blaue Reisen‹ begrüßen.«

»Blaue Reisen« – so hieß die neue Route. Sieben Tage, sieben Nächte, von Hamburg nach Kiel ohne Zwischenstopp.

»Unsere Blauen Reisen auf der Nord- und Ostsee bestehen ausschließlich aus erholsamen Seetagen. Ein Landgang für Gäste und Crew ist nicht vorgesehen. Aus hygienischen Gründen wird das Schiff nur zu sechzig Prozent ausgelastet sein. Sie genießen also mehr individuellen Freiraum auf dem Weg von Hamburg nach Kiel.«

Auf der Einladung stand nicht, was genau wir in diesem individuellen Freiraum sieben Tage und Nächte lang genießen sollten – auf dem Weg von Hamburg nach Kiel, der wahrscheinlich zu Fuß schneller zurückzulegen wäre. In der Mail stand nur, dass alkoholische Getränke all-inclusive wären.

»Sehr geehrter Herr Kaminer«, flüsterte mir meine innere Stimme zu, »die blaue Reise kannst du auch zu Hause machen.«

Ich sagte höflich ab.

Rettet die Weihnachtsmänner

Es sollte bloß eine kurze Unterbrechung des öffentlichen Lebens geben, nur auf den Monat November beschränkt, vielleicht sogar noch kürzer. »In ein paar Wochen«, beruhigte die Bundeskanzlerin das Volk, »werden wir uns mit den Ministerpräsidenten wieder zusammensetzen. Also nicht wirklich zusammensetzen, sondern unsere Bunker zu einer virenfreien Videokonferenz zusammenschließen, die Fallzahlen vergleichen und die weitere Vorgehensweise besprechen.« Zur Bekräftigung ihrer Aussage ließ sich die Bundeskanzlerin live beim Einkaufen filmen. Mit einem Einkaufswagen spazierte sie mit Maske und mutterseelenallein an den Regalen ihres Lieblingssupermarkts vorbei, nahm eine Packung Käse, eine Flasche Apfelsaft, Kaffee, Kekse, Wein und legte obendrauf die kleinste Packung Toilettenpapier, als wollte sie mit dieser Geste dem Land zeigen: Es wird nicht lange dauern, eine Rolle, maximal zwei, und dann ist der Lockdown zu Ende.

Doch die Menschen waren misstrauisch, sie glaubten der Kanzlerin nicht. Mein Nachbar in Brandenburg erzählte, er habe mit eigenen Augen eine Unzahl von Autos mit Berliner Kennzeichen vor unserem kleinen Dorf-Supermarkt gesehen, die Autos bis zur Decke mit Toilettenpapier gefüllt.

»Ich hätte das ja noch verstanden, wenn Corona-Viren auf den Magen statt auf die Lunge schlagen würden. Dann hätten wir sowieso Pampers statt MNS tragen müssen. Aber aktuell ist das nicht der Fall. Entweder scheißen die Berliner wie blöd, oder sie wissen mehr als wir«, meinte mein Nachbar.

Ich versuchte ihn zu beruhigen und nahm die Hauptstadtbewohner in Schutz: »Die Berliner wissen auch nicht mehr, sie wissen gar nichts. Es sind einfach nur praktische Menschen, die sich viele Gedanken über die Zukunft machen. Wir leben alle in einer unbeständigen, nicht greifbaren Welt. Die Realität täuscht, neue Einschränkungen, Verordnungen und Paragrafen entstehen beinahe täglich, werden verworfen und neu geschrieben. Geschäfte gehen bankrott, Bürohäuser werden planiert, Autos verrosten. In diesem Ozean der Ungewissheit sehnt man sich nach etwas Verlässlichem. Etwas, das auch in zehn, zwanzig oder dreißig Jahren noch sicher da ist. Und Toilettenpapier hat kein Verfallsdatum.«

Am letzten Tag vor Beginn des Lockdowns, lustigerweise war es ein Sonntag, gingen die Berliner so massenhaft aus, als wollten sie auch Freizeitaktivitäten auf Vorrat tanken. Meine Kinder hatten bereits ein großartiges Programm für den Ausgeh-Sonntag zusammengestellt: Zuerst sollte es zum Flohmarkt gehen, Fischbrötchen essen, und danach die Glühweinverkäufer unterstützen. Zum Glühwein sagte ich nicht Nein, denn was für ein Elend wäre es, wenn die Verkäufer auf ihrem Wein sitzen blieben. Im Hinblick auf Weihnachten hatte die deutsche Trinkwirtschaft nämlich Gigaliter von Glühwein produziert, und nun würde es wegen Corona wahrscheinlich keine Weihnachtsmärkte geben. Was sollten sie mit dem ganzen Zeug machen? Konnte man es vielleicht einfrieren und im Sommer Sangria daraus herstellen? Ich hatte schon immer den Verdacht gehabt, dass Sangria und Bowle, die so gerne im Sommer getrunken wurden, aus Restbeständen des Glühweins aus dem letzten Winter gemacht und bloß zur Tarnung mit Früchten geschmückt wurden. Eins stand fest, es würde ein trauriger Winter. Die Zeit des Feierns schien vorbei.

Traditionell fingen die Menschen in Deutschland an zu feiern, wenn es draußen dunkel und kalt wurde. In diesen Zeiten gingen sie besonders gerne aus, deswegen fanden Weihnachtsmärkte, Karnevalsveranstaltungen, Filmfestivals und Sportevents hauptsächlich im Winter statt. In Berlin sind wir zur dunklen Jahreszeit immer dorthin gegangen, wo es Licht gab. Wir sind schwimmen gegangen, in die Schwimm- und Sprunghalle im Europasportpark, dem besten Schwimmbad Deutschlands. Wir sind auf dem Weihnachtsmarkt am Alex Schlittschuh laufen gegangen und haben dort mit den Weihnachtsmännern Glühwein mit Schuss getrunken.

Und jetzt? Die neue Zeit erforderte ein neues Denken, Not machte erfinderisch. Man könnte zum Beispiel eine fantastische Show veranstalten und den ganzen Glühwein, der nicht an öffentlichen Orten verkauft werden durfte, zur Schwimm- und Sprunghalle in den Europasportpark bringen, der sowieso wegen Corona geschlossen war und leer stand. Wir könnten also diese riesige Schwimmhalle mit Glühwein füllen, und die Weihnachtsmänner, die alle arbeitslos geworden waren, dürften darin um die Wette schwimmen. Wer es schaffte, im »Heißen Hirsch« hundert Meter zu schwimmen, ohne unterzugehen, durfte alle Geschenke der anderen Weihnachtsmänner einsacken. Das Ganze müsste natürlich ohne Publikum stattfinden, könnte aber live im Fernsehen übertragen werden, damit bei dem Event die Besinnlichkeit nicht verloren ging. Wenn ich Bundeskanzler wäre, wüsste ich schon, wie man die Menschen vor der Verzweiflung bewahrte. Aber ich kandidiere nicht einmal.

Der Flohmarkt hatte an diesem Sonntag nur wenige Verkaufsstellen, aber einige Stände mit Getränken und Speisen waren geöffnet. Selbst genähte Masken mit Muster, alte Schallplatten, Möbel, Bücher und Schmuck bekamen kaum Aufmerksamkeit. Die vielen Besucher waren auch gar nicht zum Einkaufen da, sie wollten nur noch einmal das Gefühl genießen, in einer Menschenmenge zu stehen. Ein paar Jungs quälten ihre E-Gitarren, und der Seifenblasenzauberer ließ seine mit Viren vollgepumpten Riesenseifenblasen über den Köpfen der Passanten schweben. Eine große Anzahl von Unterschriftensammlern bohrte sich durch die Menge. Sie hatten es eilig, Unterschriften für ihre jeweiligen Petitionen zu sammeln. Bei einigen lief bereits am nächsten Tag die Frist aus, andere wussten nicht, wie sie in einer Lockdown-Situation überhaupt an die notwendigen Unterschriften kommen könnten.

Es wäre falsch zu glauben, dass Menschen mithilfe sozialer Netzwerke leichter für eine gute Sache zu animieren sind. Das Internet ist ein grenzenloses Schlaraffenland, alles und alle gehen dort unter. Und so wurden die meisten Unterschriften nach wie vor an öffentlichen Orten gesammelt. Am besten dort, wo sich Menschen trafen, die vielleicht schon ein wenig getrunken hatten und unterschriftsfreudig geworden waren. Aber wenn es keine öffentlichen Orte mehr gab, was tun?

»Weißer, bio-organischer Glühwein, 100 % vegan mit Schuss für 3,50 Euro« – das war genau das richtige Angebot für uns. Wir tranken uns warm und unterschrieben alles! Wir unterschrieben Petitionen für grundloses Grundeinkommen, für ein klimaneutrales Berlin, für mehr

Geld für den ÖPNV, obwohl niemand von uns wusste, was ÖPNV eigentlich bedeutete. Aber wir waren der Meinung, alle sollten mehr Geld bekommen – und mehr Glühwein, hundert Prozent vegan, mit Schuss! Alle Wünsche sollten in Erfüllung gehen in diesem verfluchten Corona-Jahr! Also unterschrieben wir fleißig weiter. So solidarische und enthusiastische Bürger wie uns hatte die Welt bestimmt noch nicht gesehen. Wir mischten uns überall ein. Wir stimmten gegen das Abtreibungsverbot in Polen, für die Schließung des neuen Berliner Flughafens und die sofortige Wiederbesetzung des geräumten Hauses Liebig 34.

Nach einigen veganen Glühweinen ging ich nach Hause, während die Kinder zur Bowlingbahn und ins Kino weiterzogen. Später erzählte mir meine Tochter, das Bowlingcenter sei rappelvoll gewesen. Die berühmte alte Bowlinganlage platzte an diesem Abend aus allen Nähten, alle Bahnen waren besetzt. Aus der Lautsprecheranlage lief ohrenbetäubend »Atemlos durch die Nacht«. Männer und Frauen warfen ihre Kugeln mit solchem Schwung, als wollten sie alle Viren plattwalzen, die ihnen das Leben schwer machten.

Um 22.45 Uhr schloss das Bowlingcenter. Mein Kind wollte jetzt noch mit Freunden ins Kino. Es war dafür aber schon zu spät, nur in der Kulturbrauerei liefen noch Filme eines feministischen Filmfestivals, das gerade beginnen sollte, wegen Corona aber auf einen Tag reduziert worden war. Die Veranstalter hatten aus lauter Verzweiflung Festivaleröffnung und Festivalende zusammengelegt. So konnte sich die hungrige Jugend noch einen Film aus Westafrika anschauen, ein Familiendrama. Es ging um ein junges Mädchen in Mauretanien, das von seiner Familie zwangsverheiratet werden sollte und dafür vor der Hochzeit im Schnellverfahren dreißig Kilo zunehmen musste. In Mauretanien musste man nicht volljährig sein, um zu heiraten, brauchte aber ein Mindestgewicht. Also bekam die arme junge Braut riesige Töpfe mit gekochtem Rindfleisch und musste unter strenger Aufsicht der Mutter alles aufessen.

Das Mädchen, noch ein Teenager, wollte aber überhaupt nicht heiraten, und noch weniger wollte es dreißig Kilo zunehmen. Denn auch in Afrika haben die Teenager Smartphones, die ihnen die Schönheitsideale des Westens nahebringen. Sie wollen wie Jennifer Aniston aussehen, zart, smart und blond. Andererseits wollte das Mädchen seine Mutter nicht unglücklich machen. Zwischen zwei Schönheitsidealen hin- und hergerissen, dem seiner Eltern und dem aus dem Smartphone, quälte sich das Kind zum Herzzerreißen.

Die deutsche Jugend im Zuschauerraum quälte sich ebenfalls. Einerseits empörten sie sich über die unmenschlichen Lebensumstände in Westafrika, andererseits hatten sie schlimmen Hunger, denn sie hatten den ganzen Tag noch nichts gegessen, nur getrunken. Alle Kneipen, Wurst- und Dönerbuden der Stadt waren bereits coronabedingt geschlossen. Und im Kino gab es nicht einmal Popcorn. Also kehrte meine Tochter mit großem Hunger nachts nach Hause zurück, machte eine Fischkonserve auf und erzählte mir die Handlung des Films.

Ich war durch die Erzählungen meiner Tochter in der letzten Zeit sehr feministisch geworden und hielt diese Problematik für wichtig. Wir lebten in einer sexistischen Welt, in der Menschen mit Gewalt in Schubladen gequetscht wurden, in die sie nicht mehr hineinpassten. Überall wurden Frauen manipuliert und von der Männerwelt unter Druck gesetzt. In Afrika sollten sie zu-, in Deutschland abnehmen. In dieser Hinsicht lag Brandenburg gar nicht so weit entfernt von Westafrika. Mein Brandenburger Nachbar, ein hagerer Siebzigjähriger, ein wenig ausgetrocknet, aber noch ganz schön fit, hatte vor Kurzem im Wald beim Pilzesammeln eine nette Frau aus dem Nachbardorf kennengelernt, viel jünger als er. Sie haben zusammen Maronen gesammelt, es war Liebe auf den ersten Blick. Sie ist samt ihren Pilzen zu dem Mann gezogen, und alle im Dorf fanden, trotz des Altersunterschieds würden die beiden gut zusammenpassen. Sie sahen lustig aus, der Mann dünn wie ein Besenstiel, die Frau angenehm rundlich. Das Paar strahlte Ruhe und Gemütlichkeit aus.

Bald aber kamen die ersten Konflikte auf. Die Frau nahm immer weiter zu. Der Mann beobachtete diese Entwicklung mit Sorge. Eines Tages markierte er mit einem

Pfeil eine Zahl auf der Waage und sagte zu seiner Freundin: »Bis dahin bleiben wir zusammen.« So zerbrach die Liebe, denn die Frau konnte sich nicht an den Pfeil halten. Sie haben sich getrennt. Doch die Frau hat nicht aufgegeben. Immer wieder, wenn ich sonntags durchs Dorf spazieren ging, joggte sie mir entgegen. Sie joggte am Haus ihres Ex-Freundes vorbei, um ihm zu zeigen, schau, ich bin gut in Form oder zumindest auf dem Weg dahin! Die Nachbarn spotteten über die Frau, nannten sie abschätzig »Laufmodel« und guckten alle aus dem Fenster, wenn sie unterwegs war.

Jogger sind selten in Brandenburg. In Berlin dagegen hatte die Zahl der Joggenden seit Ausbruch der Pandemie permanent zugenommen. Auch in Prenzlauer Berg sah ich auf einmal viel mehr von ihnen auf der Straße. Man hatte das Gefühl, die Menschen glaubten, durch Joggen könnten sie Corona austricksen und sich vor den Viren retten. Sie müssten nur schnell genug sein. Sie liefen am Morgen, am Abend, sie liefen sogar nachts. Immerhin war es eine der wenigen Freizeitaktivitäten, die noch erlaubt waren. Der Mensch war dafür geschaffen, sich zu bewegen. Wenn wir schon nicht mehr ausgehen, einander treffen und nicht mehr reisen durften, dann gingen wir eben nachts joggen. Oder wir fuhren im Auto auf dem Ring um die Stadt herum. Oder wir flogen im Kreis. So weit war es inzwischen gekommen.

Nicht nur in Deutschland litten die Menschen an Bewegungslosigkeit. In Asien, so berichtete die Zeitung *Le Monde*, nahmen »Flüge nach nirgendwo« zu. Bereits im Juli hatte China Airlines, ein Unternehmen mit Sitz in Taiwan, dem an Mangelerscheinungen leidenden Bevölkerungsteil »falsche« Flüge angeboten: Bordkarten, Passkontrollen, Sicherheitsanweisungen an Bord, alles wie gehabt. Nur blieb die Maschine am Boden. Im selben Monat charterte ein anderes taiwanesisches Unternehmen, EVA Air, einen Jet in Hello-Kitty-Farben, der vom Flughafen Taoyuan abflog, um nach 2 Stunden und 45 Minuten wieder dort zu landen. Ende August bot All Nippon Airways einen 90-minütigen Rundflug an Bord einer A380 an, wie sie normalerweise zwischen Tokio und Honolulu fliegen. Sowohl am Flughafen wie auch an Bord durften die Passagiere ein »hawaiianisches Urlaubserlebnis« genießen. Auch bei Royal Brunei Airlines konnte man eine 85-minütige »Dine & Fly«-Sightseeing-Tour buchen. Alle Plätze für den ersten Flug waren innerhalb von 48 Stunden ausverkauft.

Die Menschen wollten einfach nur raus. Es war eine Qual, eingesperrt zu sein, in den eigenen vier Wänden, in einer Stadt, in einem Land. Das Leben war zum Erliegen gekommen. Zwar fuhren noch regelmäßig Züge durchs Land, sie waren jedoch meistens leer. Man durfte als Tourist nirgends mehr übernachten. Am Ende der ersten Lock-

down-Woche hatte ich einmal nach Leipzig reisen dürfen,
zu einer Talkshow. Natürlich konnte man Talkshows auch
übers Internet durchführen, doch einige Sender weiger-
ten sich noch, komplett online zu arbeiten. Ich hatte vom
Hauptredaktionsleiter eine Unabdinglichkeitsbescheini-
gung bekommen, in der stand, meine physische Präsenz in
Leipzig sei erforderlich. »Hiermit bescheinigen wir Wladimir Kaminer die Notwendigkeit, den Drehort erreichen zu
müssen.« Mit dieser bescheinigten Notwendigkeit setzte
ich mich in den Zug.

Für denselben Tag waren in Leipzig 28 Demonstrationen angekündigt, fast 20 000 Menschen aus ganz
Deutschland wollten hier gegen die Corona-Maßnahmen protestieren. Querdenker, Linke und Reichsbürger
waren dabei, aber auch Musikschuldirektoren, Künstler und Kulturschaffende. Alle durch die Corona-Maßnahmen Unterdrückten und Abgehängten wollten nach
Leipzig kommen und auf dem Augustusplatz für ihre
Rechte demonstrieren. Polizeikräfte aus acht Bundesländern waren an diesem Wochenende ebenfalls in die gast-
freundliche Stadt Leipzig gereist. Die Busunternehmen
durften die Demonstrierenden nicht in die Stadt fahren,
denn gemäß einer Entscheidung eines Gerichts galt »Corona leugnen« nicht als berufliche Tätigkeit. Es wurde als
Freizeitaktivität eingestuft, und die Demonstranten galten demnach als Touristen. Beides war nicht mehr er-

laubt. Anders als ich hatten diese Leute keine Bescheinigung, ihre Anwesenheit in Leipzig war nicht notwendig. Mit anderen Worten, sie hätten auch zu Hause auf dem Sofa protestieren können, ohne Maske und ohne Abstand. Aber sie wollten trotzdem kommen.

Die ganze Stadt war von der Polizei abgeriegelt. Den Leipzigern wurde von der Stadtverwaltung dringend empfohlen, an dem Wochenende das Haus nicht zu verlassen. Zuerst wurde dem Demonstrationsveranstalter der Veranstaltungsort Augustusplatz untersagt. Bei der geltenden Abstandsregel von 1,5 Metern zwischen den Teilnehmern hätte man nämlich sechs Quadratmeter pro Demonstrant gewährleisten müssen. Bei 20 000 Teilnehmern und unzähligen Polizisten hätte der Augustusplatz dafür so groß wie ganz Leipzig sein müssen.

Die Demo wurde daher auf das neue Messegelände umgeleitet, doch im letzten Moment überstieg die komplizierte Logistik die Möglichkeiten der Verwaltung. Es waren einfach zu viele Menschen angereist. Außer dem großen Protestzug waren noch zwei Dutzend andere, kleinere Demonstrationen für den Tag angemeldet worden: »Aufklärung über den politischen Islam«, »Gegen die Verfolgung von Falun Gong«, »Junge Liberale für Freiheit und Verantwortung« und »Echsenmenschen für die sofortige reptiloide Revolution«. Dazu kamen noch die Maskenhasser und Verschwörungstheoretiker, die sich zur Gruppe

»MFD« – maskenfreies Deutschland – formierten und »Pandemiefakten-Aufklärung« liefern wollten.

All diese Bewegungen hatten selbstverständlich nicht vor, den vorgeschriebenen Abstand zueinander einzuhalten. Außerdem wollten die Leipziger selbst auch nicht den ganzen Spaß zu Hause verpassen, und so vermischte sich an diesem Wochenende alles in Leipzig: Die Echsenmenschen und die Falun-Gong-Anhänger, die Befürworter und Gegner des politischen Islams, junge Liberale, Nazis und Linke verkochten sich zu einem undurchsichtigen Corona-Brei, der mit viel Feingefühl von der Polizei aus acht Bundesländern friedlich überwacht wurde.

Kaum war ich am Bahnhof Leipzig aus dem Zug gestiegen, geriet ich in eine Versammlung verwirrter Bürger. Ich stand zwischen zwei Polizisten einer Deeskalationseinheit, umgeben von friedlichen schwarz gekleideten jungen Männern und Frauen, die Plastikblumen im Haar trugen. Zusammen lauschten wir einem grauhaarigen Herrn, der eine einfühlsame und emotionale Rede darüber hielt, wie sehr wir von der Regierung und dem Virus verarscht wurden. Die Regierung und das Virus steckten seiner Ansicht nach eindeutig unter einer Decke. Sie hatten einen Pakt geschlossen, um die Bevölkerung zu versklaven und uns die letzten Menschenrechte zu rauben. Die Botschaft des grauhaarigen Mannes war unmissverständlich:

Das Leben unter Quarantäne war kein würdiges Leben, das Virus würde nicht verschwinden, und wir alle würden es früher oder später bekommen. Einige von uns würden dran glauben, aber was soll's? Sterben müssten wir schließlich alle, ob nun mit oder ohne Virus. Wäre es also nicht besser, die letzten Tage zu genießen und mit anderen zusammen Weihnachten zu feiern, als allein in einer verwahrlosten Wohnung vor dem Fernseher zu verrecken?

Der Grauhaarige war mit dem Volk per Du und machte mit beiden Händen so ausladende Bewegungen, als würde er Akkordeon spielen: »Der letzte Mensch, den du sehen würdest«, rief er, »wäre der Virologe Drosten als Weihnachtsmann verkleidet, der dir unterm Tannenbaum erzählt, dass es kein Entkommen gibt!«

Die Polizisten der Deeskalationseinheit hörten ihm interessiert zu.

»Wie wollt ihr leben?«, spielte der Redner sein Luft-Akkordeon weiter. »Was wollt ihr tun?«

Bei diesen Fragen gingen die Meinungen der Protestierenden auseinander. Die einen sagten, ja, sie wollten ihr aktives Leben schon zurückhaben, auch wenn es durch Corona etwas kürzer sein sollte. Lasst die Korken knallen! Die anderen meinten jedoch, nee, besser vor dem Fernsehen mit Netflix und Drosten statt unterm Baum mit dem Weihnachtsmann. Außerdem hatte der vielleicht bald einen Impfstoff im Sack. Weihnachten wäre schnell vorbei, dann würden wir mal schauen.

»Und Sie?«, fragte ich die Polizeibeamten der Deeskalationseinheit. »Wie sehen Sie das?«

»Ich bin hier beruflich unterwegs«, sagte der Polizist. »Ich habe keine Meinung.«

»Ich auch nicht!«, bestätigte ich für alle Fälle und ging zu meiner Talkshow beim MDR.

Dort saßen schon die anderen Gäste in einem Fernsehstudio ohne Zuschauer und ohne Fenster und tauschten sich über das Leben in der Corona-Zeit aus. Die meisten Gäste waren Künstler. Der Geigenspieler erzählte von geplanten Gastspielen nach Corona. Er sollte überall auf der Welt spielen, in Brasilien, Kanada und den USA. Die Sängerin einer berühmten deutschen Band erzählte von ihren verschobenen Konzerten, die Schauspielerin von ihrem Theater. All diese Menschen lebten in der Vergangenheit, sie konnten sich nicht vorstellen, dass es in der neuen Corona-Welt möglicherweise gar keine Konzerte geben würde. Außer im Internet.

Rom war gefallen, doch die Römer hatten es noch nicht bemerkt. Die Häuser standen ja noch. Gut, es gab ein paar Pannen im täglichen Ablauf, die Kulturhäuser waren geschlossen, und es liefen draußen komische Barbaren durch die Straßen, junge Männer in Schwarz und Frauen mit Plastikblumen im Haar. Das gefallene Rom tat das aber als kleine Missverständnisse ab, vorübergehende Erscheinungen, und wollte die Realität nicht anerkennen.

Die Realität äußerte sich jedoch klar und unmissverständlich: Nicht die Viren, wir selbst waren der Auslöser dieses Dramas. Die Vorstellung, dass physische Unversehrtheit und stabile Gesundheit das Wichtigste im Leben seien, war eine Selbstverständlichkeit geworden. Vor die Wahl zwischen Brot und Show gestellt, wählten die Menschen das Brot. Was denn sonst?

Die Zeitungen waren voll mit empörten Aufrufen an die Künstler, sie sollten sich nicht zu ernst nehmen, sie sollten aufhören zu meckern, nur weil sie während der Pandemie nicht auftreten durften. Sie würden doch unterstützt, bekämen schöne Almosen vom Staat. Auch die fehlende Gastronomie wurde nicht als wirklicher Verlust anerkannt. »Die Leute haben einfach verlernt, zu Hause zu kochen. Es wird ihnen guttun, eine Zeit lang selbst für ihre Ernährung zu sorgen.«

Und die überlaute Jugend sollte endlich aufhören, alle mit ihren Partys zu nerven, und sich lieber auf den Online-Unterricht konzentrieren. Das wahre, das wirkliche Leben bestünde nicht aus Party, sondern aus Vorsicht und Vernunft. Wem die Action fehle, der könne immer noch joggen gehen, sogar nachts, das sei nicht verboten.

Und niemand schien den geringsten Zweifel an diesen vermeintlichen Wahrheiten zu haben. Niemand fragte nach. Was wäre, wenn wir die Shoppingmalls statt der Theater und Konzertsäle schließen würden? Im Zeitalter des Onlineverkaufs musste eigentlich niemand mehr seinen neuen Staubsauger persönlich kennenlernen, bevor er ihn kaufte. Aber vielleicht waren all die blöden Partys und Familienfeiern ein existentielles menschliches Bedürfnis, das dem Leben erst Sinn gab? Und ein gesundes Leben in den eigenen vier Wänden ohne soziale Kontakte war möglicherweise ein langes, aber auch ein sinnloses Leben?

Ich war kurz davor, diese These in der lustigen Talkshow vorzubringen, also die Idee, dass geistige Nahrung für Menschen genauso unabdingbar war wie körperliche Unversehrtheit. Wenn nicht sogar wichtiger. Wer sollte in dieser neuen virussicheren Welt überhaupt leben? Geistlose trainierte Körper, die sich pausenlos Kochsendungen anschauten, um die Gerichte brav allein zu Hause nachkochen zu können?

Ich habe es mir aber verkniffen. Ich wollte nicht als Querdenker beschimpft werden. Es sind in der Tat so viele Menschen gestorben – was hätten sie heute getan, wenn sie noch am Leben gewesen wären? Hätten sie auch in Leipzig demonstriert, oder wären sie zu Hause in freiwilliger Quarantäne geblieben? Aber sie konnten an der Diskussion nicht mehr teilnehmen. Und wir sollten ihren Tod nicht ignorieren, sondern ihn als Warnung nehmen und kürzertreten, schon um der Opfer willen.

Als ich das Fernsehgebäude verließ, waren die Demos noch immer im Gange. Hier und da hörte man das Aufheulen von Polizeisirenen.

»Wann können wir uns wieder umarmen?« lautete ein buntes Graffiti an der Wand am Bahnhof. Ja, wirklich: wann? Die richtige Antwort lautete: Immer. Wenn wir uns aber entschieden, dass wir das gar nicht brauchten, einander zu umarmen, einander die Hand zu geben, wenn wir nach dem Motto lebten: »Der Mensch ist dem Menschen eine Infektionsquelle«, würde es eine sehr kalte Welt sein. In der allerdings niemand hustete.

Mir taten die Menschen, die in diese Welt hineingeboren wurden, jetzt schon mehr leid als diejenigen, die sie verlassen hatten. Doch vielleicht war noch nicht alles verloren?, dachte ich auf dem Weg zurück nach Berlin. Denn wo Gefahr ist, wächst das Rettende auch. Das wusste bereits Hölderlin.

Besser sag dich niemals los
von Bettelsack und Kerkers Schloss

Jeder Tag im November brachte neue erschreckende Nachrichten. Die Zahl der Neuinfizierten stieg täglich, trotz des verhängten Shutdowns. Doch unser Bekanntenkreis schien aus dieser endlosen Infektionskette ausgeschlossen zu sein. Vielleicht lag es daran, dass niemand aus unserem Umfeld heiratete, große Familienfeste feierte, zur Schule oder zur Arbeit gehen musste. Und wir veranstalteten auch keine Partys. In der Pandemie hatten wir gelernt, gesellschaftskonform und ordnungslieb im kleinen Kreis zu saufen.

Die Bundeskanzlerin richtete einen Appell an die Jugend, sie solle endlich aufhören, sinnlos durch die Straßen zu schlendern und lieber dem Online-Unterricht mehr Zeit widmen. Jeder sollte sich außerdem nur mit einem festen Freund oder einer festen Freundin treffen, riet die Kanzlerin. Daraufhin gab es eine heftige Diskussion im Bundestag, wie fest der Freund oder die Freundin sein sollte. Die Parteien konnten sich nicht einigen.

Doch die Jugend hatte ihr Vertrauen in die Weisheit der Politiker dadurch nicht verloren. Meine Tochter war der Empfehlung der Bundeskanzlerin sogar umgehend gefolgt und hatte sich superschnell einen festen Freund angeschafft, einen BWL-Studenten mit Fahrrad und Laptop. Beide verbrachten die meiste Zeit des Tages im Netz zwischen Online-Unterricht und Essens-Bestellungen. Sie hatten nämlich schnell gelernt, ihre Lebensmittel online einzukaufen. Das war einfacher und preiswerter, als in einen Laden zu gehen.

»Im Laden«, so klärte mich meine Tochter auf, »kaufst du mit den Augen. Und so landen ständig Dinge in deinem Einkaufswagen, die du eigentlich gar nicht brauchst. Online kannst du vernünftig bestellen, nicht mit den Augen, sondern mit dem Verstand.«

Ihre beste Freundin Lena hatte vernünftig und mit Verstand bei einem großen Onlineversandhaus teure Lebensmittel für 200 Euro bestellt und sich anschließend per Mail beschwert, in der Lieferung sei das Olivenöl ausgelaufen. Solle sie diese Sauerei jetzt zurückschicken oder was?, schrieb sie. Daraufhin bekam Lena ihr ganzes Geld zurück inklusive Entschuldigung des Lieferservices.

»Leute, es funktioniert!«, twitterte Lena an alle Freunde. »Es geht! Der Corona-Kommunismus ist endlich Realität, ihr könnt einkaufen, ohne dafür zu bezahlen!«

Viele ihrer Altersgenossen folgten ihrem Beispiel, bestellten für Hunderte von Euros bei demselben Versender und schickten die gleiche Meldung ab, wonach Olivenöl im Paket ausgelaufen sei. Doch sie bekamen nur das Olivenöl ersetzt und keine Entschuldigung des Lieferservices. Auch ihr Geld wurde abgebucht. Die Zeit des Corona-Kommunismus war doch noch nicht ganz reif.

Aber auch der Kapitalismus stolperte stets über seine eigenen Füße. Das Internet war zu langsam, ob mobil oder LAN, und man hatte abends oft überhaupt kein Signal mehr. »Das sind Verhältnisse wie in der DDR«, ärgerten sich die jungen Menschen. Vielleicht lag das Problem daran, dass zu viele Studenten zusammen in einem Haus wohnten, und wenn alle gleichzeitig Serien streamten oder ihre Hausaufgaben herunterluden, hing das Netz, meinte meine Tochter.

Ich beruhigte sie am Telefon und erzählte ihr, dass man in unserem Dorf in Brandenburg das Netz überhaupt erst einmal lange suchen musste. Wir lebten mitten in Deutschland wie in einem Wald. In seiner Verzweiflung war der Sohn meines Dorfnachbarn eines Tages sogar mit seinem Laptop auf eine Birke geklettert, um das Internet-Signal zu fangen und die Hausaufgaben seiner Uni in Frankfurt/Oder herunterzuladen. Dabei fiel er prompt vom Baum. Laptop kaputt, Junge kaputt. Der Online-Unterricht konnte also große gesundheitliche Schäden hervorrufen. Dabei war doch die Gesundheit der Bürgerinnen und Bürger oberste Priorität, wie die Bundeskanzlerin immer betonte.

Die jungen Menschen waren tatsächlich sehr um ihre Gesundheit besorgt. Einmal gehustet, liefen sie sofort zum Hausarzt, um sich testen zu lassen, mussten sich jedoch immer wieder mit negativen Testergebnissen abfinden. Die alten Menschen husteten sowieso, suchten aber nicht wegen jeder kleinen Atembeschwerde gleich eine Arztpraxis auf. Besser, nicht zu wissen, was man hat, meinte meine Mutter. Sie wollte trotz aller Warnungen nicht zu Hause sitzen und wie alle normalen Menschen ihre Lebensmittel online bestellen. Stattdessen machte sie aus Trotz jeden zweiten Tag ihre gewöhnliche Runde zur Lebensmittelbeschaffung. Sie lief zum türkischen Markt, zum russischen Laden und in die deutsche Bäckerei. Sie spazierte durch alle Geschäfte und schaute sich die Sachen an, die sie nicht brauchte.

Auf ihr gesetzwidriges Verhalten angesprochen, sagte sie, ja, ihr sei bewusst, wie gefährlich die Lage sei. Sie habe das auch gelesen und wisse Bescheid: Corona könne die Lebenserwartung maßgeblich verkürzen. Doch unter Lebens-Erwartung stelle sie sich nicht nur die Dauer der eigenen Existenz vor. Man solle vom Leben auch etwas Spannendes erwarten dürfen. Die Qualität sei wichtiger als die Länge, sagte meine Mutter.

Unsere Verwandten in Moskau – meine Tante, die Cousine und der Onkel – meinten, sie seien alle drei von Corona betroffen, obwohl sich sehr unterschiedliche Symptome zeigten. Dem Onkel taten alle Knochen weh, besonders die Knie. Die Tante musste sich ständig übergeben, sogar vor dem Fernseher.

»Ich finde alles zum Erbrechen«, beschwerte sie sich bei meiner Mutter am Telefon. »Ich kann nicht einmal einen Film oder die Nachrichten gucken. Kaum schalte ich den Fernseher an und sehe Putin, schon muss ich mich übergeben.«

Nur meine Cousine hatte Halsschmerzen, meldete aber einen milden Verlauf.

Das Schicksal war bis jetzt also ziemlich zart mit uns umgegangen. Aus meinem engen Freundeskreis hatte nur mein Freund Vitali nachgewiesenermaßen eine Corona-Erkrankung mit schwerem Verlauf bekommen. Ausgerechnet Vitali, der gesündeste und sportlichste von allen meinen Freunden. Der Mann hatte immer auf seine Gesundheit geachtet, ständig Sport getrieben, wir sind zusammen laufen gegangen, wir waren schwimmen und Tischtennis spielen. Aber dieser Mann konnte auch gut Wein trinken und schaffte es, ein ausbalanciertes Leben zwischen körperlicher Disziplin und Genuss zu führen. In all den fünfzehn Jahren, die wir uns kannten, war Vitali kein einziges Mal krank gewesen. »Vorbeugen ist alles«, lächelte er immer, nach dem Rezept seines gesunden Lebens gefragt. Diesmal konnte er allerdings nicht vorbeugen. Er hatte Corona im Knast bekommen, genauer gesagt in einer Zelle, die er drei

Monate lang mit einem halben Dutzend anderer Gefangener in einem belarussischen Gefängnis teilte.

Wir hatten uns in Deutschland kennengelernt. Er hatte in Vechta an einer der kleinsten Universitäten Deutschlands Politologie studiert und suchte nach dem Abschluss einen Job. Ich hatte damals eine Einladung bekommen, bei der Entstehung einer neuen deutschen linken Partei zu helfen. Es war eine besondere Zeit, als die ostdeutsche PDS sich mit den westdeutschen Linken vereinen wollte. Kaum jemand konnte sich ernsthaft eine solche Vereinigung vorstellen, schließlich kamen die beiden politischen Kräfte aus sehr unterschiedlichen Kontexten. Auf der Ostseite waren die meisten PDS-Mitglieder robuste Rentner mit komischen sozialistischen Narrenkappen, einige bestimmt mit Stasivergangenheit. Auf der Westseite waren es junge radikale Romantiker in Che-Guevara-T-Shirt, die von einem Leben in einer klassenlosen und sozial gerechten Gesellschaft träumten. In ihr sollte sich jeder gemäß seiner Leidenschaft entfalten können, statt sich in den Dienst fremden Kapitals stellen zu müssen, um seine Lebenszeit für Billiglohn zu verkaufen. Die ostdeutschen Rentner waren mit ihrer Rente unzufrieden, sie fühlten sich von der Wiedervereinigung übergangen, zu Bürgern zweiter Klasse degradiert und wollten eine Aufstockung der Ost-Rente erkämpfen. Die westdeutsche Jugend hingegen träumte von einem Leben ohne Geld.

Die Unterschiede zwischen beiden politischen Gruppierungen waren größer als einst im sozialistischen Lager zwischen chinesischen Revanchisten und jugoslawischen Liberalkommunisten. Bei der Frage, ob es im Kommunismus Geld geben werde, gerieten sie sich damals ständig in die Haare. Die chinesischen Revanchisten waren der Meinung, im Kommunismus werde man kein Geld mehr gebrauchen. Die Jugoslawen meinten, auch im Kommunismus werde es natürlich Geld geben. Das russische Politbüro schlichtete und folgte dabei streng dem dialektischen Materialismus: Es komme darauf an, sagten die Russen: Bei den einen werde es Geld geben, bei den anderen nicht. Die Debatte endete mit der Auflösung der Sowjetunion und Jugoslawiens.

Im Deutschland des 21. Jahrhunderts ging es vor allem darum, dass ein Sozialstaat die Schere zwischen Arm und Reich möglichst eng halten sollte. Dafür brauchte das Land aber eine starke Linke. Ob nun die ostdeutschen Rentner und die westdeutschen Che-Guevara-Anhänger genau die richtige Mischung waren, um jene politische Kraft zu bilden, die das Land vor einem Rechtsruck bewahren konnte, daran hatten viele Freunde von mir ihre Zweifel. Vitali und ich dachten, ausprobieren könne man es trotzdem. Vielleicht würden gerade diese Menschen, die einander nie zuvor zu Gesicht bekommen hatten, einander bereichern. Die Erfahrungen des Lebens im Staatssozialismus würden sich mit den neuen Lebenskonzepten vermischen und vielleicht zu einer neuen, ernst zu nehmenden politischen Kraft aufsteigen? Es käme auf einen Versuch an, dachten wir. Schlimmer konnte es ja nicht werden.

Also beschlossen Vitali und ich, bei der Neugründung der Partei DIE LINKE mitzumachen. Mit einem knallroten Wagen fuhren wir von Osten nach Westen und von Süden nach Norden. Wir veranstalteten Diskussionen und Russendiskos, um diese unterschiedlichen Menschen zum Tanzen zu bringen. Musik ist das beste Kommunikationsmittel, wenn man einander sonst nicht versteht. Wir hatten, wie wir dachten, genau die richtigen Musikkonserven dafür: alte sowjetische Schlager, die unbegründeten Optimismus und Lebensfreude verbreiteten. »Die schlimmsten Hits aus dem Imperium des Bösen« nannten wir damals unser Programm. Vitali hat sich als prima DJ hervorgetan, und es hat im Großen und Ganzen gut funktioniert.

Einige Jahre später fing mein Freund an, sich zu langweilen. Parteigründungen fanden hierzulande nicht häufig statt, und die alten Parteien agierten so konservativ, dass Deutschland aus polittechnologischer Sicht ein Land in permanentem Komazustand war.

»Vergiss dein Studium«, sagte ich immer wieder zu ihm, »bleib einfach DJ, oder lern etwas Neues, Nützlicheres fürs Leben.«

Er aber träumte seinen Traum weiter und ging schließlich nach Amerika, um Barack Obama zur Wiederwahl zu verhelfen. Vitali arbeitete als Ehrenamtlicher ohne Bezahlung beim Telefondienst und rief wildfremde Menschen an, um sie zu überzeugen, Barack Obama wieder zum Präsidenten zu wählen. Die Amerikaner hörten seinen starken Akzent und erkundigten sich, woher der junge Anrufer komme. »Ursprünglich aus der Republik Belarus!«, antwortete er stolz. »Oh mein Gott!«, sagten die Amerikaner. »Wo ist das? Gehört das zu Afrika oder Europa?« Die Vorstellung, dass jemand von so weit her zu ihnen gekommen war, aus einer Republik, deren Namen sie noch nie gehört hatten, um sie für Barack Obama zu begeistern, überwältigte die Amerikaner vollständig. Sie fühlten sich auf einmal wie richtige Weltbürger und versprachen Vitali, für Obama zu stimmen.

Amerikaner sind sperrig, wenn es darum geht, neue Menschen anzustellen. Dafür sind sie sehr gut darin, deren Leistungen einzuschätzen. Vitali hatte sehr gute Erfolgsquoten. Innerhalb kurzer Zeit machte er im Team des demokratischen Präsidentschaftskandidaten Karriere, und am Ende der Wahlkampagne leitete er bereits ein ganzes Wahlkreisteam nahe der kanadischen Grenze. Er kam gut mit den Menschen dort klar und konnte viele begeistern.

Nach der erfolgreichen Wiederwahl Obamas hatte er sein Englisch deutlich verbessert, eine amerikanische Frau kennengelernt und war wenig später sogar Vater geworden. Trotzdem hatte er keinen Job. Er machte einen nächsten radikalen Schritt und fuhr nach Russland, um dort der russischen liberalen Opposition zu helfen. Er nahm Aufträge von aufsteigenden demokratischen Kandidaten in den ehemaligen Sowjetrepubliken, in Georgien und in der Ukraine an, kehrte aber pünktlich zu den nächsten Wahlen in die USA zurück. Dort wurde er der berüchtigte »russische Wahlkampfchef« von Bernie Sanders.

Sein Hauptgebiet war der Einfluss sozialer Netzwerke auf den Verlauf der Wahlkampagne. Gerade in autokratischen Staaten, wo die Oppositionellen keinen Zugang zu öffentlichen Medien, zu Radio und Fernsehen hatten, war das Internet mit seinen sozialen Netzwerken die einzige Möglichkeit, potenzielle Wähler zu erreichen. Und das beherrschte Vitali ausgezeichnet.

Wenn er frei hatte, kam er zwischendurch immer wieder nach Deutschland. Wir tranken einen Wein auf die alten DJ-Zeiten, gingen in die Sauna, und er erzählte von seinem abenteuerlichen, abwechslungsreichen Leben. Man weiß ja nicht nur vom Hörensagen, dass Politiker nicht die hellsten Lichter am Himmel sind. Das gilt für die ganze Welt. Es ist eine besondere Art von Menschen, die andere regieren wollen und auf jede Frage sofort eine kompetente, kenntnisreiche Antwort aus dem Hut ziehen wie ein Zauberer einen Hasen. In der Regel nützen diese Antworten dem Fragesteller aber nichts. Darüber könnte mein Freund

Vitali ein dickes Buch schreiben, was er auch vorhat. Er musste es bisher aber immer wieder verschieben – zu viele Arbeitsaufträge.

Überall auf der Welt arbeitete er an Wahlkampagnen mit. Mit einer Ausnahme: seiner Heimat, der Republik Belarus. Dort, in Minsk gab seit 26 Jahren der schnurrbärtige Diktator Lukaschenko den Präsidenten. Er regierte sein Land mit eiserner Hand und duldete keine Konkurrenz. Ein ehemaliger Kolchosvorsitzender, ein seltsamer Mann ohne Alter mit dem immer gleichen Gesichtsausdruck, der zwar Vater mehrerer Kinder war, aber seine Frau vor langer Zeit in die Verbannung geschickt hatte. Auf sein Privatleben angesprochen, sagte er immer wieder: »Meine Heimat ist meine einzige Geliebte, und seine Geliebte gibt man niemals weg. Wir werden für immer in ewiger Treue zusammenbleiben, die Republik Belarus und ich.«

Von den europäischen Medien wurde Lukaschenko als letzter Diktator Europas verspottet, was ihm aber nichts ausmachte. Möglicherweise war er auf diesen Titel sogar stolz.

»In Belarus wird es in absehbarer Zeit keine politische Veränderung geben«, sagte mein Freund, der Politologe, jedes Mal, wenn wir über seine Heimat sprachen. Die Belarussen seien Unterdrückung gewöhnt, sie hätten keine bürgerliche Gesellschaft, seien im politischen Tiefschlaf und loyal gegenüber ihrer Führung, egal was diese mit ihnen anstelle. Mehr Gesetzestreue als in Belarus gebe es auf der ganzen Welt nicht, meinte Vitali. Seine Landsleute würden vor einer kaputten Ampel, die rot leuchtete, eine Stunde lang stehen, selbst wenn kein einziges Auto vorbeifuhr. Und wenn die Ampel gar nicht umschaltete, würden sie irgendwann umkehren, nach Hause fahren und hoffen, am nächsten Tag mehr Glück zu haben, erzählte er. Diese Menschen würden niemals für ihre Freiheiten und Rechte demonstrieren, in diesem Land versagte jede Politologie.

Aber natürlich gab es auch in Belarus Unzufriedene und Andersdenkende, die eine Erneuerung für ihr Land herbeisehnten. Mehrmals wurde Vitali von solchen politisch motivierten Landsleuten angefragt – und jedes Mal lehnte er ab. Er wollte seine Eltern nicht in Gefahr bringen, die in der belarussischen Stadt Gomel nahe der ukrainischen Grenze lebten. Jeden Sommer brachte Vitali sein Kind dorthin zu Oma und Opa. Nicht für eine Revolution, sondern für kinderfreundliche Sommerferien schien Belarus der perfekte Ort zu sein. Vitalis amerikanische Frau arbeitete beim Auswärtigen Amt der Vereinigten Staaten, mal in Europa, mal in Brasilien oder Afrika. Sie waren beide stets unterwegs.

2020 sollte sie im amerikanischen Konsulat in der Ukraine einen Job übernehmen, doch wegen der Corona-Pandemie verschob sich ihre Reise. Die Quarantäne hatte die beiden in Washington erwischt, sie durften die Wohnung nur kurz zum Spazierengehen oder zum Sprachunterricht im Weißen Haus verlassen. Wir haben viel telefoniert. Im Juli war es dann so weit.

»Ich kann es nicht erwarten, endlich wieder nach Europa zu fliegen«, freute sich Vitali. Obwohl er inzwischen amerikanischer Staatsbürger war, hatte er Amerika nicht wirklich ins Herz geschlossen. »Wenn ich wieder in Europa, in Kiew bin, bringe ich unseren Sohn zu meinen Eltern und komme schnell bei dir in Berlin vorbei, dann trinken wir zusammen und laufen eine Runde!« Aus dem fernen Washington betrachtet, schien ganz Europa ein kleines gemütliches Dörfchen zu sein, in dem Kiew und Berlin nur einen halben Katzensprung voneinander entfernt lagen.

Ende Juli verließ das Ehepaar Amerika, danach war Vitali aus dem Netz verschwunden. Er ging nicht ans Telefon, und seine sozialen Netzwerke standen still. Ich hatte keine Nummer von seiner Diplomatenfrau und machte mir ein wenig Sorgen. Anfang August kontaktierte mich sein Anwalt aus Minsk, Vitali würde dort im Knast sitzen, ihm wurden terroristische Aktivitäten, Versuch eines Machtumsturzes und Organisation der Massenunruhen vorgeworfen. Darauf stehe in der Republik Belarus die Todesstrafe. Wir fielen in Berlin beinahe vom Stuhl. Was hatte unser Vitali angestellt? Nach und nach auf Umwegen konnte ich mir ein Bild von dem machen, was passiert war.

Während seine Frau in Kiew ihre Arbeit beim amerikanischen Konsulat aufnahm, brachte mein Freund seinen

sechsjährigen Sohn zu seinen Eltern nach Gomel in die
Sommerferien, damit Oma und Opa sich über den Enkel
freuen konnten. Sie hatten ihn lange nicht gesehen. Vitalis Politologen-Gespür hatte versagt, er hatte die politische Situation in seiner Heimat, die Ungeduld und die
Unzufriedenheit des Volkes, unterschätzt. Er wusste, dass
in Belarus gerade Präsidentschaftswahlen stattfanden, damit sich der letzte Diktator Europas zum sechsten Mal ins
Amt wählen lassen konnte. Soziologische Umfragen waren in der Republik Belarus verboten, keiner der Regierenden wollte die Zahlen sehen, aber unter der Hand sprach
man von drei Prozent Zustimmung für den amtierenden
Präsidenten. Auf solch eine schwache Basis war kein Verlass, also musste der Amtsinhaber wieder schummeln. Er
ließ alle politischen Gegner verhaften und veröffentlichte
die gefälschten Wahlergebnisse, ohne sich bei der Auszäh-
lung der abgegebenen Stimmen überhaupt Mühe zu geben.
Laut offizieller Version hatten achtzig Prozent der Belarussen für ihn gestimmt. Diese Unverschämtheit brachte das
Fass zum Überlaufen und das ruhige belarussische Volk auf
die Palme. Hätte Lukaschenko nicht von achtzig Prozent
gesprochen, sondern sich sechzig oder sogar fünfundsech-
zig Prozent gutgeschrieben, wäre die Revolte womöglich
ausgeblieben. Doch diese krasse Lüge empfand das Volk
wie eine Ohrfeige. In Wahrheit schien niemand für Lukaschenko gestimmt zu haben außer ihm selbst.

Hunderttausende gingen auf die Straße, wurden von der Staatssicherheit und von Spezialeinheiten niedergeknüppelt, weggezerrt und eingesperrt. Es gab viele Tote und Verletzte. Die Belarussen hatten Angst, und trotzdem demonstrierten Männer und Frauen, Jung und Alt friedlich Woche für Woche gegen Staatsbetrug und gefälschte Wahlergebnisse. Dabei hatten sie noch die Kraft, sich über ihre Revolution lustig zu machen, und erzählten traurige Witze:

»Ein Mann wird auf offener Straße von Polizisten niedergeschlagen. ›Was tut ihr!‹, ruft er. ›Ich habe doch für Lukaschenko gestimmt!‹ ›Lüg uns nicht an‹, sagen die Polizisten, ›niemand hat für Lukaschenko gestimmt.‹«

Der Diktator selbst wollte nicht wahrhaben, dass sein eigenes Volk ihn nicht mehr haben wollte. Er witterte den Einfluss des Westens. »Wir wissen, wer hinter diesen Protesten steht«, wütete er im Fernsehen: »Das sind die Amerikaner, die ausländischen Agenten, möglicherweise der Bundesnachrichtendienst, vielleicht auch die Russen. Sie alle warten nur darauf, dass unsere Republik in einem demokratischen Chaos untergeht. Das lasse ich aber nicht zu. Belarus ist meine Geliebte, ich werde sie bis zum letzten Tropfen Blut gegen alle Hooligans verteidigen.« Die Bürgerinnen und Bürger der Republik spürten auf einmal, wie es war, unliebsamer Teil einer fremden Liebesbeziehung zu sein. Sie waren in ihrem eigenen Land nicht mehr zu Hause, sondern bevölkerten auf einmal die Geliebte des Präsidenten und mussten am eigenen Leib erfahren, was häusliche Gewalt bedeutete.

In jenem Sommer beschäftigte sich mein Freund Vitali ausnahmsweise nicht mit Politik. Er wollte nur mit seinem Sohn zu Oma und Opa. Natürlich war es in einer solchen Situation für ihn gefährlich, nach Belarus zu fahren, aber er hatte seine Eltern lange nicht gesehen, und außerdem hatte er dem Jungen eine richtige Wassermelone versprochen. Nicht so eine pappige amerikanische, sondern eine richtige belarussische Wassermelone. Trotzdem wollte Vitali sich absichern. Er kontaktierte den Außenminister der Republik und fragte ihn, ob er von der Staatssicherheit verhaftet werde, wenn er die Grenze überquerte. Der Minister sagte, er werde nachfragen und ihn zurückrufen. Am nächsten Tag versicherte er Vitali, wenn dieser sich diskret benähme, nicht auf die Straße gehe, an keinen Demonstrationen teilnähme und keine Kontakte zu Oppositionellen pflege, würde ihm nichts geschehen. Natürlich war auf solche Versicherungen kein Verlass, das wusste Vitali. Doch wir ehemaligen Sowjetmenschen sind alle Fatalisten. Es kommt, wie es kommen soll. Man kann es nicht voraussehen.

»Besser sag dich niemals los, vom Bettelsack und Kerkers Schloss«, lautet ein bekanntes russisches Sprichwort. Mein Freund nahm seinen Sohn und überquerte mit seinem belarussischen Pass die ukrainisch-belarussische Grenze. Oma und Opa freuten sich riesig. Am nächsten Morgen ging Vitali mit Flipflops und Trainingshose auf den Markt, um eine echte belarussische Wassermelone zu kaufen. Dabei wurde er von drei wie Arnold Schwarzenegger gebauten Männern überwältigt, in ein Auto gezerrt und samt Wassermelone 300 Kilometer nach Minsk gefahren – in ein Gefängnis. Sein Telefon, seine Papiere, seine Einkäufe hatte die Geheimpolizei ihm abgenommen. Er durfte nichts mit in die Zelle nehmen und sollte auch die Wassermelone wegwerfen.

»Ich werfe keine Lebensmittel weg«, entgegnete Vitali. »Wenn ich sie nicht mit in die Zelle nehmen darf, schenke ich sie euch. Ihr könnt sie essen.«

»Das geht nicht«, meinten die Schergen des Regimes. »Das wäre Bestechung. Wir dürfen kein Gemüse von ausländischen Spionen annehmen.«

»Ich bin unschuldig«, beteuerte Vitali. »Ich habe keine politischen Ambitionen, ich habe bloß eine Wassermelone für meinen Sohn gekauft. Und ich werde sie auf gar keinen Fall wegschmeißen.«

»Na gut«, sagten die Schergen und fuhren die Wassermelone tatsächlich nach Gomel zu Vitalis Sohn zurück. Meinen Freund haben sie behalten.

Schnell wurde Vitali klar, worum es bei seiner Verhaftung ging: Das Regime brauchte eine Bestätigung dafür, dass ausländische Mächte das Volk auf die Straße trieben. Er wurde vom belarussischen Nachrichtendienst beinahe täglich verhört – Männer in Zivil, die ununterbrochen rauchten. Vitali kam sich wie in einem alten James-Bond-Film vor. Die Männer in Zivil schienen außerdem alles über seinen Lebensweg zu wissen.

»Sie haben in Deutschland Politikwissenschaft studiert und später für oppositionelle Parteien gearbeitet. Hat der Bundesnachrichtendienst während dieser Zeit mit Ihnen Kontakt aufgenommen?«

»Nein«, antwortete mein Freund wahrheitsgemäß.

»Sie haben als erster belarussischer Bürger weltweit eine amerikanische Diplomatin geheiratet, Sie waren in den USA als Polittechnologe tätig und haben im Wahlkampf dem damals amtierenden Präsidenten geholfen. Hat die CIA Sie angeworben?«

Vitali verneinte.

»Sie haben danach lange in Russland für Oppositionelle gearbeitet. Hat der russische Geheimdienst Sie damals beobachtet oder Ihnen eine Mitarbeit angeboten?«, fragten die Männer in Zivil.

»Nein, nicht, dass ich wüsste«, schüttelte Vitali den Kopf.

»Lieber Genosse«, sagten die Agenten zu Vitali, »es gibt natürlich Zufälle im Leben. Es kann passieren, dass eine aus der Pistole geschossene Kugel zwei Mal das gleiche Loch trifft. Und manchmal fällt eine geworfene Münze auf die Kante. Einmal. Vielleicht zwei Mal. Aber nicht drei Mal hintereinander. Ihre Antworten können wir nicht akzeptieren. Sagen Sie uns die Wahrheit. Wer hat Sie geschickt?«

Je mehr Zeit verging, umso düsterer sah es für Vitali aus. Durch seinen Anwalt in Kenntnis gesetzt, versuchten wir, seine Freunde, von Berlin, Washington und Moskau aus, die Aufmerksamkeit der Medien und der Öffentlichkeit auf seinen Fall zu lenken. Seine Frau versuchte die US-Behörden einzuschalten. Sie war überzeugt, dass die amerikanische Supermacht mithilfe diplomatischer Beziehungen in der Lage sein würde, ihren Mann zu befreien. Außerdem kannte sie Pompeo privat, sie nannte ihn Mike. »Mike« war der amerikanische Außenminister, ihr Arbeitgeber, er war über das Schicksal von Vitali informiert. Er versicherte, die Sache persönlich zu kurieren.

»Mach dir keine Sorgen, ich bin mir sicher, wir werden ihn da bald raus haben«, sagte Mike zu Vitalis Frau. Er hatte jeden Grund, optimistisch zu sein, immerhin saß in diesem belarussischen Knast ein amerikanischer Staatsbürger, dessen einzige Schuld darin bestand, zur falschen Zeit am falschen Ort gewesen zu sein. Gleichzeitig versuchte Vitalis Frau, den kleinen Sohn über die Grenze zu schmuggeln.

In Deutschland gab es bald kaum eine Zeitung, die nicht über den Vorfall schrieb. Mehrere Bundestagsfraktionen setzten förmliche Briefe an die Regierung in Belarus auf mit der Forderung, Vitali sofort frei zu lassen. Die Amerikaner drohten, und Mike erwähnte Vitali in nahezu jeder Rede. Sein Fall wurde als eklatante Verletzung der Menschenrechte bezeichnet. Vitali wurde, wie tausend andere Insassen, als politischer Gefangener anerkannt, blieb aber weiterhin im Knast. Wir gaben Interviews, sammelten Unterschriften, demonstrierten vor der belarussischen Botschaft in Berlin. Doch all unsere Bemühungen schienen umsonst zu sein. Das Regime hatte sich in den vermeintlichen dreifachen Spion verbissen, und kein deutscher Bundestag, kein Mike und kein Gott konnten ihm helfen. Er wurde drangsaliert, unter Druck gesetzt und mit Schlafentzug gefoltert. 24 Stunden brannte in seiner Zelle das Licht, und das Radio spielte rund um die Uhr in voller Lautstärke optimistische sowjetische Lieder über eine leuchtende Zukunft. Es waren »die schlimmsten Hits aus dem Imperium des Bösen«. Was für eine bittere Ironie, dachte Vitali. Früher hat es uns Spaß gemacht, diese Musik in der Russendisko aufzulegen, nun wurde sie zu einem Folterwerkzeug.

Als besonders miese Folter galt es im Knast, wenn ein Gefangener von einer Zelle in die andere verlegt wurde, damit er keine zwischenmenschlichen Kontakte zu seinen Mitgefangenen aufbauen konnte. Vitali wurde permanent von einer Zelle in die andere verlegt, zu Mördern, Dieben, Banditen. Als vermeintlicher dreifacher ausländischer

Agent genoss er unter den Gefangenen jedoch eine gewisse Autorität. Denn alle Insassen hatten staatstreue Medien gehört und wussten, dass sich in der freien Welt da draußen gerade die Weltgemeinschaft einen unerbittlichen Kampf um die Eroberung der Republik Belarus und die daraus folgende Weltherrschaft lieferte. So zumindest wurde die Situation in den belarussischen Medien dargestellt. Niemand im Knast glaubte, dass der Diktator noch länger Widerstand leisten könne, und ganz egal wer diesen Kampf am Ende gewinnen würde – Amerika, Russland oder Europa –, Vitali wäre als dreifacher Spion in jedem Fall auf der richtigen Seite. Sogar seine Aufseher und Peiniger, die Wachmänner und die Menschen in Zivil, siezten ihn und behandelten ihn mit Respekt. Man wusste ja nie, was morgen kam.

In jeder Zelle verbreitete Vitali Informationen über die aktuelle politische Weltlage. Ein Gespräch war im Knast ein Gut von hohem Wert und verlangte von dem Sprecher eine besondere Verantwortung. Man musste sehr auf seine Wortwahl achten. Viele Themen waren im Knast tabu. Man durfte zum Beispiel nicht über Frauen oder übers Essen reden. Aber über die Weltpolitik jederzeit gerne. Also erklärte Vitali den Insassen den Unterschied zwischen den politischen Systemen in Amerika, Europa, Russland und Belarus und warum eine Diktatur ein Land immer in seiner Entwicklung bremste. Alle im Knast schienen gegen das Regime zu sein, sogar die Aufseher. Doch das hinderte sie nicht daran, dem Regime weiterhin treu zu dienen.

Vitali fand in jeder Zelle aufmerksame Zuhörer, einige von ihnen husteten heftig. Sie steckten ihn mit Corona an. Er bekam einen schweren Verlauf, konnte nicht mehr sprechen, lag mit hohem Fieber auf der Matratze und bekam von den Wächtern nicht einmal eine Schmerztablette.

Zu diesem Zeitpunkt saß er schon über drei Monate im Gefängnis. Alle Versuche der amerikanischen Diplomatie, ihn zu befreien, dazu die mediale Aufmerksamkeit und die Aufrufe des Westens hatten nichts genützt. Der Diktator schien vor nichts und niemandem Angst zu haben. Vitalis Lage wurde immer kritischer. Er überstand die Corona-Infektion aus eigener Kraft, bekam jedoch Probleme mit dem Herz. Wir in Berlin waren mit unserem Latein am Ende. Ich dachte, nichts in der Welt könne meinen Freund da rausholen. Nachts träumte ich von Chuck Norris in der Rolle eines mutigen Veteranen, der seine Freunde aus dem kommunistischen Knast in Vietnam befreien möchte. Er wartete nicht auf die Hilfe der Regierung, er mietete einen Hubschrauber, kaufte sich ein Maschinengewehr und eine Kiste mit Handgranaten, flog mit ein paar Freunden nach Vietnam, schoss alle Schurken nieder und befreite seine ausgehungerten, gefolterten Freunde aus dem Kerker. Im Traum war ich Chuck Norris. Aber nicht in der Realität. Die ganze Zeit schrieb ich Vitali kurze Nachrichten und schickte sie seinem Anwalt in Minsk per Telegramm. Der konnte sie Vitali auf seinem Handy zeigen und tippte mir dann dessen Antwort ein. Im November brach auch diese Verbindung ab. Ich bekam keine Nachrichten mehr von meinem Freund, und auch sein Anwalt war vom Netz abgeklemmt. Eine Woche später erhielt ich eine Nachricht aus Amerika von einer unbekannten Nummer. Es war Vitali. Er sei in Freiheit, liege in Washington in einem Krankenhaus, habe sein Telefon samt allen Nummern aber im Minsker Gefängnis gelassen. Nur meine kannte er auswendig.

Ich war außer mir vor Freude, rief ihn sofort an und erfuhr die spektakuläre Geschichte seiner Befreiung. Die ganze Zeit hatten die amerikanischen Behörden versucht, mit dem Regime in Belarus Kontakt aufzunehmen und über Vitalis Schicksal zu verhandeln, doch immer ging etwas schief. Kaum hatten sie die Zusage eines Ministers, war dieser am nächsten Tag schon nicht mehr im Amt. Vereinbarten sie einen telefonischen Termin mit dem Diktator persönlich, ging der nicht ans Telefon. Irgendwann hatten sie von dieser unkooperativen Diktatur die Schnauze gestrichen voll, und Mike traf eine Entscheidung. Mein Freund wurde vom »politischen Gefangenen« zur »Geisel« umdeklariert. Ab sofort war er ein amerikanischer Staatsbürger, der sich in der Geiselhaft befand. Und für Geiselbefreiungen war in den USA eine andere Behörde zuständig, besetzt mit ehemaligen Militärs, die nicht viel Wert auf diplomatische Regeln legten.

Ab jetzt ging es tatsächlich weiter wie in einem Chuck-Norris-Film nur ohne Schießerei. Die Amerikaner kontaktierten die belarussischen Behörden, sie würden ihren Vitali nun befreien und sich im Übrigen aufrichtig freuen, wenn sich die Behörden kooperativ verhielten. Erstaunlicherweise reagierte die belarussische Seite diesmal verständnisvoll. In einer spektakulären Aktion wurde Vitali mit Militärfahrzeugen in Minsk abgeholt, über die Grenze in die Ukraine gebracht und von dort mit einer Maschine nach Washington geflogen. Das kam für ihn völlig unerwartet, erzählte er. Als er die fremden Amerikaner vor sich sah, wollte er die Zelle zunächst gar nicht verlassen und fragte sie, ob sie nicht etwas später kommen könnten. Das konnten sie nicht.

Sie verließen Minsk ohne Schwierigkeiten, nur an der Grenze wurde die Autokolonne angehalten.

»Würden Sie bitte aus dem Auto steigen?«, bat der Grenzsoldat.

»Nein, werden wir nicht«, antwortete der Fahrer, der Chuck Norris ähnlich sah.

»Würden Sie bitte den Kofferraum aufmachen?«, ließ der Soldat nicht locker.

Auch diese Bitte wurde abgelehnt. Eine halbe Stunde

und einige Telefonate später durfte die Kolonne die Grenze passieren.

»Darf ich bitte kurz das Fenster aufmachen und etwas laut sagen?«, fragte Vitali.

»Sprich«, nickte Chuck Norris.

Vitali ließ die Scheibe herunter und schrie in die Dunkelheit: »Es lebe die freie Republik Belarus!«

Die Grenzsoldaten, die armen Schergen des Regimes, antworteten nicht. Sie schauten den Fahrzeugen traurig hinterher.

»Sie haben mich gleich im Auto noch einmal auf Corona getestet. Angeblich bin ich noch immer positiv, obwohl ich nichts davon spüre. Außerdem wollen sie mich in Washington am Herzen operieren, das ist aber schnell gemacht, glaube ich«, erzählte mir Vitali am Telefon. »Und wenn ich hier fertig bin, darf ich nach Kiew fliegen zu meiner Frau und meinem Sohn. Dann bin ich praktisch bei euch gleich um die Ecke. Berlin ist von Kiew aus nur einen halben Katzensprung entfernt. Dann können wir endlich in Ruhe einen guten Wein aufmachen. Ich habe seit drei Monaten keinen Alkohol mehr getrunken. Damals im Juli war ich ja eigentlich schon unterwegs zu euch. Entschuldigt, dass es diesmal so lange gedauert hat«, meinte mein Freund, der dreifache Spion.

Das härteste Weihnachten seit
dem Zweiten Weltkrieg

Wir lebten nicht, wir bereiteten uns bloß auf Weihnachten vor. Der Vorschlag aus NRW, die Weihnachtsferien zu verlängern, stieß auf breite Zustimmung in der Bevölkerung. Es hatte ohnehin niemand geglaubt, dass der zuerst für zwei Wochen verhängte Teil-Lockdown noch dieses Jahr aufgehoben würde. Die Ministerpräsidenten hatten bereits im November angefangen zu diskutieren, wie viele Personen aus dem eigenen und wie viele aus einem fremden Haushalt das Weihnachtsfest zusammen feiern dürften und ob überhaupt. Das 2020-jährige Jubiläum von Jesu Geburt wurde zum Spielball der Politik.

»Das wird das härteste Weihnachten seit dem letzten Weltkrieg«, sagte der Nordrhein-Westfälische Ministerpräsident, der vermeintliche Bundeskanzlerkandidat. Es würde vor allem Verzicht bedeuten. Doch die Menschen waren inzwischen an Verzicht gewöhnt, niemand schreckte mehr vor einem harten Weihnachten zurück. Schließlich wurde Jesus auch nicht in der Charité geboren, sondern im Stall, im Winter, ohne Heizung und ohne qualifiziertes medizinisches Personal. Wenn das keine harte Geburt war.

»Egal wie hart, wir feiern trotzdem«, sagten die Bürgerinnen und Bürger. Feiern ja, aber wie? Die politische Auseinandersetzung mit dem Thema nahm kein Ende.

»Es geht den Staat nichts an, wie ich mit meiner Familie Weihnachten feiere. Er kann mir meinetwegen Ratschläge geben, aber er mischt sich bitte nicht ein«, konterte Friedrich Merz, ebenfalls ein aussichtsreicher Bundeskanzlerkandidat. Wie feierte Merz, der einfache deutsche Mittelschichtsmillionär, Weihnachten?, fragten sich die Bürger. Wie groß war sein Tannenbaum? Wie teuer sein Glühwein? Klebte er Papiersterne an die Fenster, las er seiner Familie aus der Bibel vor? In der stand ja, Reiche kämen nicht in den Himmel, selbst wenn sie einen Privatjet besaßen.

Nach mehreren Sitzungen des Corona-Kabinetts und heftigen Streitereien schien die Sache mit Weihnachten einigermaßen geklärt: Bundesweit durften bis zu zehn Personen in einem Raum am Tisch sitzen, Kinder unter 14 Jahren und Haustiere unter zwanzig Kilo Lebendgewicht ausgenommen, in Berlin jedoch nur fünf Personen und Kinder unter 12. Alle anderen sollten draußen bleiben. Eine Familie mit drei volljährigen Kindern dürfte also die Oma aus Oranienburg nicht mit einladen, es sei denn, sie alle fuhren nach Oranienburg zur Oma und feierten dort. Das würde gehen.

Das härteste Weihnachten

Die Anzahl der Personen am Weihnachtstisch wurde vom Senat festgelegt, aber die Tischordnung, wer mit wem zusammensaß, in welchem Abstand und ob sich die Familienmitglieder vor der Feier testen lassen sollten, diese Entscheidungen wurden von der Regierung großzügig den Bürgerinnen und Bürgern in eigener Verantwortung überlassen. Da galt freie Fahrt für freie Bürger. Man durfte sogar niesende Gäste einladen, Hauptsache nicht mehr als fünf.

Zu Silvester wollte die Bundesregierung allerdings die alljährliche Böllerei verbieten. Raketen machten nur Lärm und Schmutz, sie verpesteten die Luft und waren eine sinnlose Verschwendung von Munition. Außerdem kam es immer wieder zu Unfällen während des Silvesterfeuerwerkes. Wie man aus den Vorjahren wisse, sei es durchaus möglich, dass einem Feiernden die Rakete in die Kapuze flog oder beim Anzünden des Feuerwerkskörpers einige Finger abhandenkämen. Dieses leichtsinnige Verhalten sorge für eine Überlastung der Krankenhäuser und das in einer Zeit, in der jedes Intensivbett zähle. Die Gesundheit der Bürgerinnen und Bürger habe oberste Priorität, deswegen empfehle man kindersichere Wunderkerzen und zwei Knallfrösche pro Haushalt. Das solle dann auch reichen, so die Meinung der Bundesregierung. Die Opposition mahnte, zwei Knallfrösche pro Haushalt sei ein krasser Eingriff in die Grundrechte, schließlich sei der Mensch nicht Eigentum des Staates und dürfe seine Finger verschwenden, wie er wolle. Nach mehrstündiger Diskussion wurde das Feuerwerk nicht verboten, der Bevölkerung aber ausdrücklich empfohlen, darauf zu verzichten. Dem potenziellen Böllermann müsse dann klar sein, dass jede von ihm abgeschossene Rakete möglicherweise das Krankenbett eines Corona-Patienten wegballere. Zum ersten Mal werde unser wunderschönes Berlin am ersten Tag des neuen Jahres nicht wie ein Schweinestall aussehen, meinte der Regierende Bürgermeister. Er setze auf die Vernunft der Bevölkerung.

Wenn ich die Nachrichten las, hatte ich das Gefühl, dass die Welt durch die Corona-Pandemie immer vernünftiger und sauberer wurde. Weniger Menschen auf der Straße, weniger Müll, weniger gefährliche Tiere. Pünktlich zu Jesu Geburt musste der Stall ausgemistet werden, und alle schlechten Tiere flogen raus, damit sie uns nicht mit neuen Krankheiten anstecken konnten: die Fledermäuse in China, die Nerze in Dänemark, die Wildschweine in Polen, Tschechien und Deutschland. Sogar die einhöckrigen Kamele in Saudi-Arabien wurden massenhaft geschlachtet und entsorgt. Angeblich übertrugen auch sie gefährliche Viren. Nur die tiefgefrorenen fetten Vögel durften bei uns bleiben. Sie türmten sich in den Kühltruhen der Supermärkte eisberghoch und hatten sogar die Erlaubnis, mit uns Weihnachten zu feiern. Ich sah der Zukunft optimistisch entgegen. Die Deutschen waren bekanntermaßen

Weltmeister in Sachen Gemütlichkeit, es dürfte also ein gemütliches Fest in kleinen Gruppen werden. Man würde bis zur völligen Besinnlichkeit feiern, dann käme ein nachdenkliches leises Silvester ohne Feuerwerk und ein sorgenfreies Hinübergleiten in die dritte Welle.

Immer mehr Stimmen sagten, diese Pandemie sei ein willkommener Anlass, unsere Gesellschaft endlich ein Stück weiter in Richtung einer vernünftigen, positiven Lebenswahrnehmung zu rücken. Ohne dieses ständige Herumreisen, ohne Partys und Alkohol, ohne Massenveranstaltungen, die nur Müll und Lärm produzierten und die Bürgerinnen und Bürger von den wirklich wichtigen Dingen ablenkten. Das Leben könnte so schön sein: früh aufstehen, Yoga machen, schuften gehen, auf veganen Märkten leckere Würste aus Pappe kaufen und zeitig ins Bett springen. Was wollte man mehr? Der eine oder andere mochte den Lärm eines süffigen Zusammenseins vielleicht vermissen, aber wie lange? Die nachfolgenden Generationen würden quasi direkt in eine Gesellschaft der positiven Helden hineingeboren. Von Partys und Konzerten wüssten sie nur vom Hörensagen, besonders Neugierige könnten in Büchern etwas darüber lesen und den Kopf schütteln über diese frühere Zeit, als die Barbaren ihre archaischen, nicht in den Google-Kalender eingetragenen Feste nach Lust und Laune feierten und kräftig ihren Beitrag zur Luftverschmutzung leisteten.

Wie würde er sein, der positive Held der Zukunft? Je dunkler der Winter wurde, umso deutlicher sah ich ihn kommen. Ich hatte ein trainiertes Auge dafür. In meiner sozialistischen Heimat mussten wir im Literaturunterricht in jedem Märchen und jeder Fabel sofort den »positiven Helden« ausmachen, jemanden, der sich ethisch und moralisch vorbildlich verhielt, egal wie schlimm die Umstände waren. Bei einem Aufsatz »Der positive Held in den Fabeln von de La Fontaine« zog ein Schüler einmal ein schweres Los – die Fabel »Der Rabe und der Fuchs«:

Herr Rabe auf dem Baume hockt,
Im Schnabel einen Käs.
Herr Fuchs, vom Dufte angelockt,
Ruft seinem Witz gemäß ...

Der Schüler schrieb, in dieser Fabel sei der Käse der positive Held. Wer sonst? Der Rabe konnte es nicht sein, er war dumm, egoistisch und noch dazu ein Dieb. Der Fuchs war ein verlogener Heuchler. Blieb also nur der Käse. Der Käse sah gut aus und tat keinem weh. Alle liebten ihn. Alle fanden ihn gut. Alle wollten ihn haben. Die Lehrerin hat dem jungen Philosophen damals eine schlechte Note gegeben. Sie schrieb an den Rand seines Aufsatzes, er sei absoluter Käse.

Wenn ich heute darüber nachdenke: Eigentlich hatte der Junge recht. Wir waren gerade dabei, uns als perfekte Käse-

gesellschaft zu etablieren. Ohne Knallerei. Trotz aller Einschränkungen und Verbote ging das Leben weiter. Black
Friday, das Shopping-Event des Jahres, lockte die Menschen massenweise in die Einkaufszentren, die Zeitungen
verkündeten eine regelrechte Rabattschlacht. MediaMarkt
und Saturn wurden von niesenden Konsumenten gestürmt.

Sogar die Situation auf dem Berliner Immobilienmarkt,
die vielen Stadtbewohnern Sorgen machte, entspannte
sich. Auf einmal gab es neue Angebote: unsanierte Altbau-
ten, Wohnungen, die aussahen, als hätten Oma und Opa
sie gerade erst aus unerfindlichen Gründen verlassen, erzählte mir eine Freundin. Schon seit Jahren suchte diese
beste Freundin meiner Frau in Berlin vergeblich nach einer
Wohnung zum Kaufen für den schmalen Geldbeutel. Ohne
große Hoffnung blätterte sie beinahe täglich die Immo-
bilienangebote durch, und plötzlich, pünktlich zum Black
Friday, fand sie die Wohnung ihrer Träume auf der Karl-
Marx-Allee im ehemaligen sozialistischen Paradies made
in DDR. Ein wenig kaputt und heruntergekommen, dafür
aber zu einem passablen Preis. Das renovierungsbedürf-
tige Paradies hatte keinen Balkon, aber gut, man konnte
ja nicht alles haben, dachte unsere Freundin und versuchte
sofort, einen Besichtigungstermin zu vereinbaren.

Das Paradies hatte allerdings noch einen Haken: Es
wohnte eine Mieterin darin. Sie hatte noch einen alten
paradiesischen Mietvertrag aus DDR-Zeiten und zahlte

für ihre Vierzimmerwohnung rund 600 Euro warm. Die gute Nachricht: Die Mieterin war angeblich 93 Jahre alt. Es gab also Licht am Ende des Tunnels. Außerdem spielte sie offenbar mit dem Gedanken, irgendwann in ein Altersheim umzuziehen, wo sie viele Freunde hatte. Zuerst boykottierte die Frau jedoch jeden Versuch, einen Besichtigungstermin zu vereinbaren. Sie lehnte stets mit der Begründung ab, sie habe keine Zeit, sie müsse sich auf Weihnachten vorbereiten. Ihre Freunde aus dem Heim würden bald bei ihr zu Besuch kommen.

Nach langem Hin und Her wurde schließlich doch ein Termin vereinbart. Unsere Freundin klingelte an der Tür und traute ihren Augen nicht: Ihr öffnete eine große, kräftig gebaute Frau, die nicht den Eindruck machte, sie würde dieses Paradies bald verlassen.

»Die konnte unmöglich 93 Jahre alt sein«, regte sich die Freundin später bei uns in der Küche auf und entwickelte eine Verschwörungstheorie: Die Immobilienfirma stecke mit dem Altersheim unter einer Decke. Sie tauschten die Omas in der Wohnung regelmäßig aus, das Paradies blieb ständig belegt, und der Wohnungseigentümer musste bei diesem ewigen Kreislauf der Omas den Hausmeister spielen. Sie fühle sich durch diesen Besichtigungstermin total gestresst, schimpfte die Freundin. Wir konnten sie kaum beruhigen.

In der Tat zeigten in der zweiten Welle viele eine sehr

dünne Haut. Selbst Menschen, die durch Corona keine großen existentiellen Sorgen hatten und auch vor der Pandemie schon erfolgreich im Homeoffice geschuftet hatten, sahen sich auf einmal einem permanenten Stress ausgesetzt. Der Begriff »Stress« wird allerdings in der westlichen Gesellschaft sehr breit angewendet. Eigentlich sollte dieser Zustand der Anspannung durch »einen aktiven pulsierenden Austausch zwischen dem Menschen und seinem Umfeld« entstehen, behauptete die Wissenschaft. Die Corona-Pandemie zeigte jedoch, dass auch die völlige Abwesenheit des Umfeldes zu Stress führen konnte. Mit den Nachbarn tauschten wir uns häufiger darüber aus.

»Ich habe schon beim Aufstehen Stress, wenn der Wecker klingelt«, sagte der eine.

»Und ich schon davor, gleich beim Schlafengehen«, entgegnete der andere.

Ich hatte keinen Stress, sehnte mich jedoch nach Reisen, Lesungen, Konzerten. Die Kulturbranche plante bereits im November ein Frühlingserwachen im März, aber das hieß, davor würde es keine Events geben. Warum konnten die Menschen nicht einfach in einen Winterschlaf fallen wie Bären oder Siebenschläfer? Vielleicht lag es daran, dass sie es noch nie probiert hatten?, überlegte ich und übte mich im Winterschlaf. Es gelang mir schlecht. Immer wieder, wenn ich wach wurde, schaute ich hoffnungsfroh auf den Kalender. Es war noch immer November. Mitten in dem dunklen Monat bekam ich eine Einladung zum *Kölner Treff* inklusive Flug und einer Übernachtung im Hotel! Ich war schon lange nicht mehr unterwegs gewesen und hatte das Fliegen verlernt. Außerdem war unser Flughafen Tegel bereits Anfang November 2020 geschlossen worden, und den neuen kannte man nur aus der Presse. Irgendwo da draußen am Stadtrand, hieß es, sei er nach endloser Bauzeit eröffnet worden, doch niemand aus meinem Bekanntenkreis hatte ihn jemals gesehen.

Mein Freund Yuriy, der es mitten in der zweiten Corona-Welle gewagt hatte, in die Ukraine zu fliegen, hatte mir erzählt, sein Flug nach Kiew sollte laut Flugticket vom Terminal 5 des neuen Flughafens BER starten. Aus der Zeitung wusste mein Freund, dass dieser neue Flughafen weit weg außerhalb der Stadt lag. Er stand daher extra eine Stunde früher auf und fuhr los. Seine Enttäuschung war riesig, als sich herausstellte, dass Terminal 5 des neuen Flughafens BER nichts anderes war als der alte DDR-Flughafen Schönefeld. »Wir werden nach Strich und Faden verarscht«, meinte Yuriy am Telefon.

Inzwischen glaubte in Berlin kaum noch jemand, dass es diesen neuen Flughafen tatsächlich gab. Er war wahrscheinlich von Anfang an nur eine Zeitungsente gewesen, um die Bevölkerung zu beruhigen. Und wer sollte die Wahrheit schon herausfinden – es flog ja eh keiner. Wohin auch. Bis zum letzten Moment glaubte ich nicht daran, dass eine Flugreise nach Köln in Zeiten der Pandemie möglich war. Doch es war wie in einem Märchen: Mein Flug nach Köln fand tatsächlich statt. Der Flughafen war groß, leer und vollständig desinfiziert, der frisch verlegte Boden quietschte unter den Füßen. Auch im schicken Kölner Hotel war ich beinahe der einzige Gast. Sauna und Fitnessraum waren coronabedingt zu, aber sie hatten ein Restaurant! Und durften natürlich nur Hotelgäste bewirten, also mich. Wie in alten Zeiten!, dachte ich, suchte mir den besten Tisch am Fenster, nahm Platz und studierte die Speisekarte. Als Aperitif bestellte ich ein Glas Rotwein und dann noch eins. Ein längst vergessenes Hochgefühl, bedient zu werden, stellte sich ein. Am liebsten hätte ich einmal die komplette Karte bestellt.

»Was würden Sie mir empfehlen?«, fragte ich den jungen aufmerksamen Kellner, der allem Anschein nach auch Sehnsucht nach Gästen hatte.

»Bei uns schmeckt alles ausgezeichnet«, begann er das Gespräch, »nur leider haben wir heute noch keine Lieferung bekommen, deswegen können wir einige Vorspeisen, die auf der Karte stehen, nicht anbieten«, entschuldigte er sich. Das Rindercarpaccio und die Tomaten mit Mozzarella stünden nicht zur Auswahl.

»Das macht doch nichts.« Ich schaute auf die Speisekarte. Unter Vorspeisen standen dort nur das Carpaccio und Tomaten mit Mozzarella.

»Was können Sie mir sonst empfehlen?«, wiederholte ich vorsichtig meine Frage. Ich wollte die Bedeutsamkeit des Moments nicht verspielen, die feierliche Laune des Kellners nicht verderben.

»Das Steinpilzrisotto ist sehr gut. Ich kann Ihnen das Steinpilzrisotto anbieten«, äußerte sich der Kellner nachdenklich.

»Das ist in Ordnung, das hört sich gut an!«, freute ich mich.

»Perfekt!«, sagte der Kellner und verschwand in der Küche. Eine halbe Stunde später, ich war gerade mit meinem Rotwein fertig und fing schon an, mich zu langweilen, erschien er wieder mit einem neuen Glas Wein aufs Haus und musste sich entschuldigen:

»Leider musste die Küche gerade feststellen, wir haben keine Steinpilze mehr.«

»Das ist bedauerlich«, sagte ich und schaute auf die Uhr. Mein Magen fing an zu knurren. »Aber da kann man nichts machen. Ich kann das Steinpilzrisotto auch ohne Pilze essen, immer her damit.«

Der Kellner nickte.

Noch eine halbe Stunde verging, bevor er wiederkam, um erneut um Entschuldigung zu bitten. Der Koch habe den Reis sehr spät angesetzt, es werde also eine Weile dauern, bis das Risotto fertig sei. Ob ich etwas anderes nehmen möchte?

»Was können Sie mir denn empfehlen?«, fragte ich schon wieder.

»Ich würde Ihnen einen Salat empfehlen«, sagte der Kellner. Ich nahm die Empfehlung an. Draußen war es schon dunkel. Um halb fünf sollte ich vom Fahrdienst abgeholt und zum Sender gebracht werden. Langsam dämmerte mir, dass ich hier unfreiwillig als Komparse in einem Schauspiel mit dem Titel »Unser Corona-Restaurant hat geöffnet! Es wird bedient, aber nicht gegessen« teilnahm. Ich stand auf und ging Richtung Küche, um den Kellner zu suchen. In der Küche brannte kein Licht.

»Es tut mir so leid«, sagte der Mann mit Tränen in der Stimme. »Der Koch …«

»Wissen Sie was, ich komme heute Abend zeitig zurück, und dann esse ich das Risotto, den Salat und alles, was Sie sonst noch haben. Ist das in Ordnung?«, beruhigte ich ihn.

»Aber natürlich ist das in Ordnung«, freute sich der Kellner. »Ich sage dem Koch sofort Bescheid!«, rief er und verschwand wieder.

Für einen kurzen Augenblick konnte ich in die Küche blicken. Es war ein blitzsauberer, leerer Raum. Als ich nach der Sendung zurückkam, brannte im ganzen Restaurant kein Licht mehr, es war geschlossen.

Es wird oft behauptet, Menschen, die wenig essen, frieren stärker. Am nächsten Tag fror ich. Ich fror noch auf dem Weg zum Kölner Flughafen und hoffte, ich könnte dort etwas zu essen bekommen. Aber es war alles geschlossen. Ich ging zum Duty-free-Shop, um wenigstens eine Flasche Cognac zu kaufen, die unter Umständen das Frühstück ersetzen konnte. Doch auch der Duty free war voll von Corona erwischt worden. Der Laden hatte sich für immer verabschiedet, nur die letzten verbliebenen Verkäufer versuchten noch, die Parfümreste an nicht vorhandene Passagiere zu verhökern.

Auf dem Rückflug hatte ich das halbe Flugzeug für mich allein. Während des ganzen Fluges schaute ich durch das Bullauge hinunter auf das Land. Vom Himmel aus konnte man keine Weihnachtsgirlanden und keinen Weihnachtsschmuck in den Fenstern erkennen. Es war kalt geworden in Deutschland, kalt und dunkel.

Und alle beschwerten sich. Meine Tochter beschwerte sich über die soziale Kälte im Online-Unterricht. Sie hatte gerade ihr Masterstudium in Ethnologie angefangen, und in der Einführung sollte es um gängige Forschungsmethoden gehen, um Feldforschung und »teilnehmende Beobachtung«. Alle 53 Studierenden sollten sich kurz vorstellen. Die meisten schalteten im Zoom-Meeting ihre Kameras aus, sie wollten nicht gesehen werden. Wahrscheinlich studierten sie im Bett, trugen Pyjamas und hatten eine Katze auf dem Schoß. Also wurde Nicole von schwarzen Quadraten begrüßt, drei Stunden lang.

»Diese Online-Menschen schauen dir nie in die Augen,

wenn du sie ansprichst. Sie schielen, und je nachdem, wie ihre Kameras installiert sind, sehen sie entweder wie Eichhörnchen oder wie Pferde aus«, erzählte mir meine Tochter.

Die russische Trinkbar Moloko, in der sie kellnerte, hatte auch zugemacht. Die Chefs hatten sich mit dem Außerhausverkauf nicht über Wasser halten können. Beim zweiten Lockdown hatten sie feststellen müssen, dass die Kunden ihre Bar gar nicht wegen des Essens oder Trinkens besucht hatten. Es war ihnen um das fröhliche Zusammensein gegangen, darum, etwas Wärme in der kalten Jahreszeit zu genießen.

Zu Hause angekommen, stellte ich fest: Auf unserer Hausfassade war ein neues Graffiti entstanden: »Wann können wir uns wieder umarmen?«, hatte jemand draufgesprüht. Mein Nachbar, ein Verschwörungstheoretiker unter Stress, sagte, wir würden es nicht mehr brauchen. Angeblich wurde bereits irgendwo im Stadtzentrum ein riesiges Eishaus gebaut, in dem unser zukünftiger Impfstoff sicher bei minus 80 Grad gelagert werden konnte. Dort sollten sich die Stadtbewohner impfen lassen und als Nebenwirkung ein kaltes Herz bekommen. Sie würden nichts mehr spüren, nicht mehr lachen und nicht weinen können und ein langes gesundes Leben führen in einer Welt, in der niemand mehr nieste.

57 Haselnüsse für Aschenbrödel

Unsere Katze Mathilde schnarchte Tag und Nacht. Bereits Anfang Herbst hatte ihr alljährlicher Fellwechsel begonnen, blieb aber mitten in dieser anspruchsvollen Metamorphose auf halbem Weg stecken, was aussah, als wären auf einmal zwei Katzen in einer. Oberhalb der Gürtellinie blickte uns ein junges Tier mit glänzendem neuen Fell entgegen, während die hintere Katze aussah wie die alte, von Faschisten zerschossene Pelzmütze eines belarussischen Partisanen.

Für mich symbolisierte Mathilde damit den bevorstehenden Jahreswechsel. Im Geiste waren wir schon längst im Jahr 2021 angelangt. Wir schauten sehnsüchtig in die Zukunft, das neue Jahr sollte uns aus dem Albtraum der Pandemie wecken, uns von der Angst befreien, eines vorzeitigen qualvollen Todes zu sterben.

Die Engländer hatten schon vor Weihnachten mit dem Impfen begonnen. Und die Russen hätten schon längst das halbe Land geimpft, wenn die Gesundheitsministerin nicht gesagt hätte, man solle 42 Tage Abstinenz halten, damit die Impfung richtig greife. Sie hatte nicht gesagt, ob es um 42 Tage vor oder nach der Impfung ging – oder vielleicht sowohl als auch? Und was war mit der zweiten Spritze? Die russischen Impfzentren blieben erst einmal leer. Doch irgendwie fühlten sich die Menschen sofort gesünder, wenn sie an das neue Jahr dachten.

Gleichzeitig steckten wir noch immer mit Kopf und Kragen in dem alten, vom Virus befallenen 2020. Wir durften nicht reisen, durften keine Freunde treffen, nicht nach Lust und Laune Weihnachten feiern, sondern mussten uns streng an die Infektionsschutzverordnungen halten. Diese erlaubten uns ausnahmsweise an den Feiertagen eine Zusammenkunft von zwei Haushalten, aber nur, wenn der Weihnachtsmann nicht klingelte. Der zählte nämlich als fremder Haushalt. Sollte der Weihnachtsmann trotzdem erscheinen, so rieten Juristen, sollten wir ihm nicht die Tür aufmachen. Er sollte seine Geschenke vor der Tür abstellen und schnell wieder verschwinden. Das warf etliche ethische Fragen auf. Wie sollten Eltern ihren Kindern erklären, dass der Weihnachtsmann die Wohnung nicht betreten durfte? Möglicherweise wäre er dann beleidigt und würde gar nicht mehr kommen. Auch nächstes und übernächstes Jahr nicht.

Für das kommende Jahr prophezeiten die Ökonomen als Folge der Pandemie die größte humanitäre Katastrophe des Jahrhunderts. Aber das interessierte erst einmal niemanden, wir waren mit diesem Jahr noch gar nicht fertig. Es steckte gewissermaßen noch in der Verpuppung. So ähnlich wie Mathilde. Jeden Morgen vor dem Frühstück untersuchten wir die Katze in der Hoffnung, es würde mit der Verwandlung vorangehen. Nichts da. Kopf und Schwanz passten überhaupt nicht mehr zusammen. Würden Katzen wie Menschen nur online per Videokonferenzen mit der Außenwelt kommunizieren, wäre das gar nicht aufgefallen. Doch offline sah das Tier aus wie ein in der Mitte zusammengeklebtes Gesamtkunstwerk. Als könne es sich nicht entscheiden, ob es das alte eklige Fell wirklich ablegen sollte. Immerhin war es in dem alten Look durch dick und dünn, durch Feuer und Flammen gegangen. So viele schöne Erinnerungen und grausame Begegnungen steckten darin. Und jetzt? Einfach so wegschmeißen? Von dem neuen Fell wusste man schließlich noch gar nicht, ob es wirklich so gut war, wie es momentan aussah. In ihrer inneren Zerrissenheit simulierte die Katze den Winterschlaf. Sie schnarchte. Durch ihr ständiges Schnarchen wurde die Grenze zwischen Tag und Nacht noch undeutlicher.

Am Ende des Jahres begann der Tag in Brandenburg traditionell mit starkem Nebel, der sich nach einigen Stunden in eine feine Dämmerung verwandelte. Am Nachmittag ging ich durch das Dorf, um die Weihnachtsgirlanden der Nachbarschaft zu inspizieren. Wenn mich Berliner Freunde auf dem Land besuchten, verwechselten sie die höfliche Zurückhaltung der Brandenburger oft mit deren völliger Abwesenheit und beharrten darauf, in unserem Dorf würden keine Menschen leben. Das stimmte natürlich nicht. Allein der bunte Weihnachtsschmuck, die Girlanden an den Hausfassaden, die leuchtenden Tannenbäume in den Vorgärten und das Flimmern der Fernsehgeräte hinter den Wohnzimmerfenstern bewiesen, dass es hier viele Menschen gab. Sie blieben bloß gerne unsichtbar und wollten niemandem mit ihrer Gastfreundlichkeit auf die Pelle rücken. Sie hielten nichts von inhaltsloser, geräuschvoller sozialer Kommunikation. Mehrmals war ich schon Zeuge gewesen, wie ein Nachbar beim anderen Eier kaufte, ohne dabei ein Wort zu verlieren. In solchen Momenten glaubte ich, die Brandenburger seien Telepathen, sie könnten als einzige Erdbewohner Gedanken lesen. Wenn es auch recht schlichte Gedanken waren: 10 Eier = 2 Euro, passend, wenn's geht.

Sehr lange wurden die Brandenburger für ihre Zurückhaltung verspottet, von den Großstadtmenschen, von den gesprächigen Rheinländern, von den Berlinern mit Schnauze und den oktoberfesten Bayern. Nun hatte die Pandemie die Brandenburger zu einem Vorbild für ganz Deutschland gemacht. Unter den Telepathen war kein einziger Superspreader zu finden, das machte das Land stolz. Sie hatten schon immer alles richtig gemacht und auch ohne Viren sozialen Abstand eingehalten, Homeoffice betrieben, waren nicht nach Italien in den Urlaub geflogen, hatten nicht im Chor gesungen und einander nicht ins Gesicht gehustet.

Vier Tage pro Woche verbrachte ich auf dem Land, drei Tage in Berlin, um Mama und die Kinder zu besuchen. In diesem Land-Stadt-Rhythmus ließ sich der sogenannte Teil-Lockdown gut aushalten. Er war der Bevölkerung Anfang November als »Wellenbrecher« vorgestellt worden, verwandelte sich jedoch im Lauf der Zeit in einen »Wellenreiter«. Er verlängerte sich immer weiter. Die Zahl der Neuinfizierten stagnierte bundesweit auf hohem Niveau. Möglicherweise hatten sich die Menschen also doch nicht im Theater oder Restaurant, sondern im Konsumrausch in den Shoppingmalls angesteckt. Um aber kurz vor Weihnachten auch noch die Malls zu schließen, fehlte es der Regierung an Mut. Die Politik stieß an ihre Grenzen, sie konnte uns alles Mögliche, aber keine reine Vernunft mit Dauerwirkung einimpfen.

Meine Mutter ging in Berlin trotz aller Gefahren jeden zweiten Tag einkaufen. Sie kochte viel, und als einziger Esser konnte ich ihren Erwartungen nicht genügen. Auf dem Land verordnete ich mir extra eine Diät, damit mich die Mutter in Berlin mit Essen vollstopfen konnte. Es brachte aber kaum etwas.

»Ich bin enttäuscht, mein Sohn, du hast heute sehr wenig gegessen«, sagte Mama jedes Mal, wenn ich mich stöhnend vom Küchentisch weglehnte. »Vielleicht möchtest du etwas Süßes? Ich habe deine Lieblingskekse mit Orangenmarmelade, Marzipan, Schokonüsse und die Sahnetörtchen Napoleon.«

»Nein danke, lass uns lieber Schach spielen«, versuchte ich Mama abzulenken.

»Könnte es sein, dass du ein bisschen zugenommen hast?«, fragte sie plötzlich unvermittelt.

Ich sah in ihren Kommentaren eine deutliche Widersprüchlichkeit und machte meine Mutter darauf aufmerksam. »Du kannst nicht von mir verlangen, dass ich hier alles aufesse und gleichzeitig schlank bleibe! Das eine schließt das andere aus.«

Die Mutter überlegte kurz. »Ja«, sagte sie. »Ja und nein. Ich habe im Internet viel über gesunde Ernährung gelesen. Du isst in der falschen Reihenfolge. Wenn du das, was ich gekocht habe, in der richtigen Reihenfolge essen würdest, würdest du abnehmen.«

Nach dem Essen spielten wir gewöhnlich Schach. Ich hatte in meinem ganzen Leben noch nie so viel Schach gespielt wie in dieser Pandemie. Mitten im Lockdown bekamen wir den heißen Tipp, es gäbe da eine neue Netflix-Serie über ein Mädchen, ein Waisenkind, das im Heim Schachspielen lernte, alle Turniere gewann und sogar den allmächtigen russischen Champion besiegte, und das noch dazu in seiner Heimat, wo angeblich alle vom Kindergarten an wie Großmeister spielen. Mein Sohn hatte die Serie entdeckt und sie mir und seiner Mutter empfohlen. Ich habe sie dann meiner Mutter empfohlen, und so kam es, dass die ganze Familie auf einmal große Lust bekam, Schach zu spielen.

Mein Sohn wurde von seinen Freunden, die die Serie ebenfalls gesehen hatten, auf seine russischen Wurzeln angesprochen und gefragt, ob es stimme, dass alle Russen so gut Schach spielten, und ob er das auch könne. Sebastian konnte schon Schach spielen, er wusste, wie die Figuren hießen und wie die Züge auszuführen waren. Doch von der Kunst eines Großmeisters war er weit entfernt. Er war auch nicht so gut wie die Russen im Film. Er wollte seinen Freunden gegenüber aber das Märchen von der besonderen russischen Schachspiel-Kompetenz aufrechterhalten und begann, Tag und Nacht zu trainieren. Er spielte online gegen fremde Menschen Blitzschach, er schaute sich auf YouTube die gängigen Eröffnungen an, er stellte kluge Fragen, machte Fortschritte und hat mich mit einer mir unbekannten Springerkombination überrascht. Er hat sogar gegen seine Oma gewonnen, die 1957 bei der Schachmeisterschaft des Moskauer Instituts für Maschinenbau immerhin den vierten Platz errungen hatte.

»Und? Gibt es noch andere Serien, die du uns empfehlen könntest?«, fragten wir Sebastian. »Vielleicht können wir noch mehr lernen als nur Schachspielen?« Doch die anderen von dem Sohn empfohlenen Serien haben uns nicht wirklich mitgerissen. Die meisten waren in Amerika gedreht worden, und den Drehbüchern konnte man in der Regel entnehmen, wie das Volk tickte. Demnach schienen den Amerikanern zwei Dinge besonders wichtig zu sein: den Zusammenhalt und die Hierarchie in der Familie zu bewahren und das heilige Recht, bei jeder Auseinandersetzung von ihren Schusswaffen Gebrauch zu machen. Dementsprechend waren ihre Serien eine Mischung aus Familiendrama und knallharter Action. Wenn die Worte versagten, und sei es in einem Generationenkonflikt oder bei Unstimmigkeiten im Haushalt – nicht abgewaschenes Geschirr, ein nicht eingehaltener Putzplan –, schon wurde die halbe Familie über den Haufen geschossen. Am Anfang der ersten Staffel wusste man, spätestens nach sieben Folgen wären alle tot.

Russische Serien drehten sich dagegen immer im Kreis. Die Menschen versuchten mit aller Kraft, irgendeine Veränderung in ihrem Leben durchzusetzen, aber es passierte rein gar nichts. Am Ende der zehnten Staffel war alles noch genauso wie am Anfang, als wäre die Zeit stehen geblieben.

Die deutsche Erfolgsserie zu Weihnachten hieß *Barbaren*, und es ging um die Schlacht im Teutoburger Wald. Die Geschichte, fein gelöst als Mischung aus *Dschungelcamp* und *Gute Zeiten, schlechte Zeiten*, wurde ziemlich intelligent aus verschiedenen Blickwinkeln erzählt: aus Sicht der Römer und aus Sicht der Germanen, die schon als Barbaren unglaublich fortschrittlich in puncto Gleichberechtigung und sozialem Zusammenhalt waren.

Nebenbei gesagt waren alle diese Serien nur als kostenpflichtiges Streaming oder von russischen Piraten in schlechter Qualität und mit dürftiger Übersetzung zu haben. Das öffentlich-rechtliche Fernsehen ließ die Menschen in Deutschland in der Pandemie im Stich. In Zeiten der Quarantäne waren besonders die Älteren mehr als sonst auf ihren Fernseher angewiesen. Schließlich durften sie von den jüngeren Generationen nicht besucht werden. Und so blieb der Fernseher für viele über Wochen der einzige Freund, der einzige treue Angehörige des eigenen Haushalts, der einzige Gesprächspartner, das einzige Licht am Ende der Nacht. Die weite Welt war auf die Größe des Fernsehbildschirms geschrumpft. Und was hatte das deutsche Fernsehprogramm an den traurigsten Feiertagen des Jahres zu bieten? *Drei Nüsse für Aschenbrödel* und das 19 Mal hintereinander. Also insgesamt 57 Nüsse in sechs Tagen. Meine Mutter und ihre beste Freundin Tante Inge fühlten sich irgendwann von Aschenbrödel beobachtet. Kaum schalteten sie einen deutschen Fernsehsender an, war sie da und guckte.

Die Gründe für die Entscheidung der öffentlich-rechtlichen Sender, denselben Film 19 Mal zu zeigen, waren für mich nicht nachvollziehbar. Gut, früher war dieser Film in ganz Deutschland beliebt, viele Paare haben zu dessen Soundtrack geheiratet. Das Lied »Believe in the Hazelnuts« – auf gut Deutsch: »Glaub an die Nüsse« – in einer Aufnahme des Kinderchors »Dresdner Spatzen« hatte jedes zweite Paar aufs Standesamt begleitet. Seitdem sind aber hundert Jahre vergangen. Viele dieser Nüsse sind längst geknackt worden, manche sind inzwischen taub und einige von ihnen wahrscheinlich Corona zum Opfer gefallen. Und viele Überlebende fragten sich, was das sollte?

Die beste Freundin meiner Mutter beschwerte sich, sie fühle sich krank, sobald sie das Fernsehgerät anmachte. Tante Inge war in der letzten Zeit zum Hypochonder geworden. Sie ging jeden Tag zum Arzt wie zur Arbeit und bildete sich ständig neue Leiden ein, hauptsächlich Corona-Symptome. Mal hatte sie einen zu hohen Blutdruck, mal konnte sie keine Gerüche mehr wahrnehmen. Der Arzt riet ihr ausdrücklich, sich nicht vom Nachrichtenstrom leiten zu lassen. Jeden Tag die Nachrichten zu lesen sei in der heutigen Zeit brandgefährlich: »Das ist, als würden Sie Ihren Körper und Ihren Geist permanent vergiften!«, erklärte ihr der Arzt. Doch Tante Inge konnte sich von den Nachrichten nicht lösen. Sie hatte eine »bad news«-Abhängigkeit entwickelt und konnte abends nicht mehr einschlafen, ohne zu wissen, wie viele Menschen sich an diesem Tag infiziert hatten, wie viele gestorben und wie viele genesen waren. Sie brauchte jemanden, mit dem sie über ihre Ängste und Sorgen frei reden konnte. Sie hatte das Gefühl, vom Arzt nicht ernst genommen zu werden.

Ihre eigene Familie, ihre Söhne, Enkel und Urenkel hatten beschlossen, ihre Kontakte zu Tante Inge dieses Jahr auf ein Minimum zu reduzieren. Sogar Weihnachten wollten sie ohne die physische Präsenz der Oma feiern. Von ihrem ältesten Sohn sollte sie eine Einführung in Zoom-Meetings bekommen, um als digitales Abbild ihrer selbst an der Familienfeier teilzunehmen. Sie durfte allerdings zum Weihnachtstisch der Familie ein Gericht ihrer Wahl beisteuern. Tante Inge experimentierte gern in der Küche, wobei sie keine einfachen Wege suchte und auch diesmal ein spektakuläres Gericht wählte: Karpfen in Aspik. Ein besonderes Jahr erfordere eine besondere Küche, meinte sie. Eine alte Volksweisheit zur Zubereitung von Karpfen in Aspik besagt: Der erste Fisch ist für den Mülleimer, der zweite für die Katze und der dritte für den Esstisch. Daher begann Tante Inge bereits nach dem zweiten Advent mit der Arbeit. Zwischendurch rief sie meine Mutter an, um ihre Panik loszuwerden. Die Gespräche liefen immer nach dem gleichen Muster ab.

»Shanna, ich glaube, ich habe Corona! Ich rieche nichts mehr!«

»Nur keine Panik«, sagte meine Mutter. »Woran hast du denn gerochen?«

»An Kaffee.«

»Hast du die Maske auf?«

»Natürlich nicht, für wie blöd hältst du mich?«

»Und wann hast du den Kaffee gekauft?«

»Vor anderthalb Monaten.«

»Riech doch mal an etwas anderem. Und?«

»Nichts und! Ich merke nichts … Oh mein Gott, wie schrecklich!«

»Ganz ruhig bleiben. Woran hast du jetzt gerochen?«

»Am Fisch in Aspik«, erklärte Tante Inge.

»Fisch in Aspik riecht nicht, das ist ein gutes Zeichen. Wenn Fisch in Aspik riechen würde, wäre er verdorben. Du musst an etwas anderem riechen.«

»Woran denn?«

»Mach doch mal deinen Kühlschrank auf. Was hast du kürzlich frisch eingekauft?«

»Feigen.«

»Feigen riechen doch nicht.«

»Ich habe auch Tomaten. Ich rieche jetzt an Tomaten. Ich merke nichts!«

»Wo hast du sie denn gekauft?«

»Bei Aldi.«

»Aldi-Tomaten riechen nicht, such weiter. Geh ins Bad, hast du irgendein Parfüm? Shampoo?«

»Natürlich habe ich Shampoo!«

»Dann riech mal daran! Und?«

»Nichts und!«

»Was steht auf der Shampooflasche?«

»›Mit niedrigem pH-Wert und ohne Zusatzstoffe‹.«

»Okay. Das riecht nach nichts. Wir brauchen etwas, das riecht.«

»Ich glaube, ich habe auch meinen Geschmackssinn verloren! Ich habe gerade die Tomaten probiert – nichts!«

»Das muss so sein. Die haben keinen Geschmack. Nimm dir ein Taxi und komm zu mir. Ich rufe Wladimir an, der bringt uns einen guten Wein.«

Wenn Tante Inge meine Mutter besuchte, fand sie ihren Geruchssinn eigentlich jedes Mal rasch wieder, denn in der Wohnung meiner Mutter roch es stark nach Katze. Trotzdem tranken wir sicherheitshalber noch einen guten Rotwein zusammen und hörten uns alte Opernaufnahmen auf CD an.

Die Pandemie hatte den Damen die Möglichkeit geraubt, ihrer größten Leidenschaft nachzugehen, denn vor Corona waren sie beinahe jede Woche in der Oper oder im Konzert gewesen.

»Wer weiß, ob wir überhaupt jemals wieder in einem Konzertsaal sitzen werden. Wir sind ja so alt, wie viel Zeit bleibt uns noch?«, sinnierte meine Mutter. Ich beruhigte sie nach Kräften. Aber es stimmte ja, die Musik spielte nicht mehr, es war still geworden in Deutschland. Nur das Aschenbrödel wütete im Fernsehen.

Das Land machte eine Kulturpause. Auch alle meine Lesungen wurden noch einmal und noch einmal verschoben. Einige Städte wie Frankfurt und Kiel gaben ganz auf, in Stuttgart oder Hamburg hatten die Veranstalter dagegen die Hoffnung noch nicht verloren, dass es in zwei oder drei Monaten weitergehen würde wie gehabt. Ich stellte mir immer wieder vor, wie ich im Februar, okay, vielleicht im März, gut, spätestens im April, wenn alle geimpft wären und die Kulturstätten wieder geöffnet hatten, wie ein Dschinn aus der Flasche auf die Bühne in Stuttgart oder Hamburg springen würde, vielleicht sogar im ehemaligen Corona-Hotspot Berlin: »Voilà, mein geimpftes Publikum, jeder Wunsch nach einem Kulturprogramm darf erfüllt werden! Es geht los!« Schließlich expandierte der Markt für Impfstoffe, beinahe jeden Tag kamen neue sagenhafte Zaubermittel dazu. Eine deutsche Firma behauptete, ihr Impfstoff sei zu über neunzig Prozent wirksam, der russische Impfstoff Sputnik V war es sogar zu über hundert Prozent. Laut Medienberichten sollte im Dezember die Bereitschaft der Deutschen, sich impfen zu lassen, enorm gestiegen sein, von zehn Prozent auf fast fünfzig Prozent. Wir waren fast am Ziel.

Je länger der Lockdown andauerte, desto mehr identifizierte ich mich mit dem Flaschengeist. Im Durchschnitt saß ein Dschinn etwa tausend Jahre in seiner Flasche. Wie hatte er es so lange ausgehalten, allein in einer leeren Pulle? Ich wäre vor Durst gestorben. Zum Glück war meine mit gutem Rotwein gefüllt. Der Weinladen Sonnenschein, den ich einmal die Woche besuchte, sorgte zuverlässig für Nachschub.

Der Markt der
momentanen Möglichkeiten

In unserem hauseigenen Chat unterbreitete eine Nachbarin, Frau Franke aus dem vierten Stock, den Hausbewohnern den Vorschlag, am Donnerstag, den 24. Dezember um 20.00 Uhr gemeinsam »Stille Nacht, Heilige Nacht« zu singen, um Corona zu vertreiben. Jeder natürlich von seinem eigenen Balkon aus. Ein Zeichen des Zusammenhalts, ein unsichtbarer Chor. Das Vorderhaus würde beginnen, und der Hinterhof wäre für die letzten Strophen zuständig. Alle im Haus fanden die Idee großartig außer mir und dem Querdenker im ersten Stock. Er war außerdem der Meinung, der 24. Dezember sei in Wahrheit gar nicht an einem Donnerstag, auch der Kalender wäre nämlich manipuliert. Diese Theorie hatte er mir schon vor Jahren erzählt:

»Wusstest du, Wladimir, dass wir vom ersten Tag unseres Lebens an an der Nase herumgeführt werden? Hast du dich jemals gefragt, warum das Jahr 365 Tage hat und nicht zum Beispiel 364?«, fragte er Gin trinkend bei uns in der Küche. »Denn wenn das Jahr nur 364 Tage hätte, würde jedes Jahr der gleiche Tag aufs gleiche Datum fallen, dann könnten die ihre beschissenen Kalender nicht jedes Jahr neu verkaufen!« Der Nachbar freute sich wie ein Kind. Es war ihm anzusehen, welchen Spaß es ihm machte, der Wahrheit direkt ins Portemonnaie zu blicken.

Ich mochte unsere philosophischen Gespräche sehr. Es brachte so eine schöne Ordnung, so einen Sinn ins Leben, wenn man glaubte, alles auf der Welt hinge zusammen. Schlimm waren in meinen Augen diejenigen, die zynisch behaupteten, nichts hinge hier zusammen, alles sei nur eine Frage des Zufalls. Das waren wirklich Chaoten.

»Du meinst also, wir werden vom ersten Tag unseres Lebens an von Kalenderverkäufern manipuliert?«, hakte ich nach.

»Die Kalenderverkäufer sind nur die kleinen Fische an der Oberfläche. Du musst tiefer blicken: Wer steckt hinter diesem ganzen Corona-Mist? Wem nützt er? Irgendjemand will anscheinend, dass wir das Haus nicht verlassen und hier alle gemeinsam das ganze Jahr über ›Stille Nacht‹ singen, ohne einander die Hand geben zu dürfen. Das hat sich die Nachbarin sicher nicht selbst ausgedacht. Im Übrigen brauchst du keinen Kalender für 2021 kaufen, nimm den alten von 1937, der passt haargenau. Ich habe es selbst Tag für Tag nachgeprüft«, beruhigte er mich.

Ich wollte mich, wie gesagt, dem unsichtbaren Chor auch nicht anschließen. Mich erinnerte das gemeinsame

Singen zu sehr an die Pionierlager meiner Kindheit und an die sowjetischen Hymnen, die wir damals alle zusammen singen mussten. Seitdem bin ich der Meinung, jeder soll nach eigener Lust und Laune singen und möglichst nicht im Chor. Ich war schon immer gegen Massenveranstaltungen und gelte im Haus als Dissident. Am Heiligen Abend wollte ich sowieso nach Neuruppin fahren, meinen guten Freund Christian besuchen, um nachzusehen, wie es ihm ging. Am Telefon hatte er sich kürzlich nämlich ziemlich verwirrt angehört:

»Könntest du uns bitte besetzen? Ich meine, friedlich annektieren? Du hast doch noch deinen russischen Pass?«, hatte er mich gefragt. Christian war Kulturveranstalter in Neuruppin und hatte – wie viele Brandenburger – eine Russenmacke. Ich glaube, aus diesem Grund hatte er auch einen alten Bunker am Stadtrand gemietet, in dem früher sowjetische Flugzeuge und Hubschrauber hoffnungsfroh auf den dritten Weltkrieg gewartet hatten, den berüchtigten »Hangar-312«. Er wollte dort Soljanka verkaufen und Russland-affine Kulturveranstaltungen organisieren. Zur Dekoration hatte Christian einen großen roten Stern vor dem Hangar aufgehängt. Er war besessen von alten sowjetischen Fahrzeugen, bevorzugt in Dunkelgrün, wie sie der Traum aller Kinder waren: eine Mischung aus Hippiebus und Panzer, von der man nicht wusste, wozu sie einst gebaut worden war – zum Schieben, Fahren oder Eindruck-Schinden.

Ich hatte als Kind von meinen Eltern auch einen dunkelgrünen Metallpanzer mit rotem Stern geschenkt bekommen, der beinahe größer war als ich. Der Panzer sah absolut echt und schwer aus, und ich hatte große Mühe, dieses Spielzeug an einer Leine durch die Moskauer Pfützen zu ziehen. Er hatte nur einen Haken: Seine Ketten waren fest zusammengeschweißt, er konnte nicht fahren. Die Russen waren zwar schon immer Weltmeister in der Verwirklichung von Kinderträumen gewesen, wobei ihnen vor allem prächtig aussehende Fortbewegungsmittel gelangen. Allerdings waren die nicht zu bewegen.

Später erinnerte mich mein Kinderpanzer an eine andere großartige russische Erfindung, das unversenkbare Schiff *Popowka*. 1869 hatte der russische Vizeadmiral Popow ein rundes Schiff entworfen, dessen geniale Form es für feindliche Angriffe und böse Launen der Natur nahezu unangreifbar machte. Man konnte es nicht versenken. Das Schiff hatte nur einen Nachteil, nämlich denselben wie mein Kinderpanzer: Es fuhr nicht. Es drehte sich nur um seine eigene Achse im Kreis. Trotzdem wurden auf Befehl des Zaren zwei oder drei solcher Schiffe gebaut, die nach ihrem Erfinder *Popowkas* hießen. Dann wurde die Produktion wieder eingestellt. Viele großartige russische Erfindungen, die unsere Welt im Handumdrehen zum Besseren hätten verändern können, seien es der Kommunismus-Aufbau oder der Rundschiffbau, scheiterten an den banalen Gesetzen der Materie.

Das runde Schiff hätte sich auch sehr gut als Dekoration für Christians Hangar geeignet, dachte ich. Ich mochte seinen Laden und war Stammgast in seinem Kulturprogramm. Hier veranstaltete ich jedes Jahr im Winter eine Russendisko, zu der trinkfeste Brandenburger aus Neuruppin und den umliegenden Dörfern kamen, manche in alten sowjetischen Uniformen. Sie tranken Glühwein mit »Russenschuss« und konnten danach sogar noch tanzen.

Doch in dieser Saison war Christians Kulturprogramm in Schwierigkeiten geraten. Soziale Distanzierung war angesagt und Disko zum Schimpfwort des Jahres geworden. Bereits vor dem Teil-Lockdown im Herbst hatte er frech ein Oktoberfest mit Abstand bei sich im Hangar-312 geplant. Zu diesem Zweck hatte er geräumige Zelte aus Berlin bestellt und tonnenweise Oktoberfestbier zu besonders günstigen Konditionen eingekauft, ohne Rückgabegarantie. Auf Befehl des Gesundheitsamts musste er das Fest aber absagen. Christian setzte auf ein baldiges Ende der Sanktionen und auf den Weihnachtsmarkt, irgendwann musste dieser Corona-Spuk doch vorbei sein. Immerhin kamen erfreuliche Nachrichten aus der Welt der Medizin. Die ersten Impfstoffe wurden zugelassen, die Zeitungsseiten füllten sich mit ihren Namen, sie klangen wunderbar, hoffnungsvoll und romantisch: Astra Zeneca, Moderna und natürlich das russische Sputnik High Five.

Die Russen hatten angeblich ein fantastisches Zeug entwickelt, das einzige Vakzin, das keine genetische Veränderung hervorrief, und sie hatten sofort damit zu impfen begonnen, ohne es richtig zu testen. Auch Professoren im Westen klatschten in die Hände, es schien wirklich ein toller Stoff zu sein. Ausländische Regierungen zogen vor der russischen Leistung den Hut, wollten den Sputnik-Impfstoff aber nicht bestellen. Nur einige amerikanische Milliardäre russischer Herkunft, die kein Vertrauen in westliche Ware hatten, flogen in die alte Heimat, um sich der russischen Impfung hinzugeben. Die Vakzinierung der russischen Bevölkerung stockte jedoch. Das Land hatte in kürzester Zeit große Mengen Sputnik produziert, eigentlich ausreichend, um alle Bürger schnell durchzuimpfen. Das Ganze scheiterte jedoch zunächst an der Deckel-Produktion für die Ampullen. Der Impfstoff wurde in großen Einheiten geliefert, und jeweils fünf bis zehn Bedürftige erhielten das Überlebenselixier aus demselben Fläschchen. Impftermine wurden online vergeben, und die Bürger sollten in Gruppen kommen, um ihre Impfung zu erhalten, denn der Impfstoff verlor zwei Stunden nach Öffnen der Ampulle seine Wirkung. Und obwohl alle Ja zum Impfen sagten, kam nur jeder Fünfte zur Impfstelle. Wusste der Himmel, warum. Es war einfach so. Die Russen sagten oft das eine und taten dann etwas völlig anderes. Was sie sich dabei dachten, wusste nicht einmal Gott.

Ganz vorne im Wettlauf der europäischen Impfstoffe lag

das deutsche Zeug mit dem völlig unromantischen Namen mRNA-BNT162b2. Es wurde sehr lange getestet und etwas später zugelassen, galt aber als todsicher. Der Beginn der Massenimpfungen in Deutschland ließ allerdings auf sich warten. Lange vor Weihnachten gingen die ersten Lieferungen raus – nach Frankreich, Spanien oder Italien. Überallhin in Europa wurde dieser deutsche Stoff geliefert, nur in Deutschland tat sich nichts. »Wir müssen europäische Solidarität zeigen«, sagte die Regierung. Mit hoher Priorität sollten unter anderem die Bewohner von Flüchtlingsheimen und anderen Großeinrichtungen geimpft werden, die armen Nachbarn und die von Trump gebeutelten Amis. Uns ging es doch noch gut. Wir könnten uns hinten anstellen.

»Hallo? Geht's noch?«, drängten die von der Pandemie stark Belasteten und geistig zu kurz Geschorenen ihre Regierung. »Wir sind auch noch da! Deutscher Stoff für deutsche Bürger!«

Einige andere fanden es aber gerade traumschön romantisch, dass die Deutschen sich in erster Linie um andere Europäer kümmerten, vielleicht sogar um den Preis ihres eigenen Lebens. Sollte doch die ganze Welt wissen, wie heldenhaft und aufopferungsbereit wir waren!

Perfekt wäre es natürlich, alle Menschen gleichzeitig zu impfen, am besten, wenn sie auf ihren Balkonen stehend in den nebelig dunklen Himmel »Stille Nacht« sangen. In diesem Moment müssten sich die Wolken plötzlich teilen, der Himmel würde aufreißen und der Impfstoff auf uns herabregnen, damit uns die Viren von nun an nichts mehr anhaben konnten. Die Welt würde sich umgestalten und ihre Sorgen für sich behalten. Und kaum hätten wir zu Ende gesungen, schon wären alle immun. Wir könnten uns an den Händen fassen und alle zusammen im Gleichschritt zum nächsten Weihnachtsmarkt marschieren, zum Beispiel zum Hangar-312 nach Neuruppin. So träumte ich.

»Und? Kannst du uns jetzt, verdammt noch mal, besetzen?«, drängte mich Christian am Telefon.

»Was meinst du mit ›besetzen‹?« Ich verstand ihn nicht.

»Du bist doch Russe, und die Russen besetzen laufend irgendwelche Territorien und machen dort, was sie wollen. So wie neulich auf der Krim. In der Ostukraine haben sie unabhängige Republiken ausgerufen, die niemand anerkennt, Volksrepublik Donezk, Volksrepublik Lugansk, ich habe davon in der Zeitung gelesen. Und keine Sau regt sich auf, es wird von der Weltgemeinschaft schweigend hingenommen. Warum gründen wir nicht eine UNR, eine Unabhängige Neuruppinische Republik? Ich habe einige Fahrzeuge parat, die für eine Besetzung perfekt wären. So könntest du nach Neuruppin einmarschieren und unseren Hangar vorübergehend als ehemals russisches Territorium annektieren. Nicht für lange, sagen wir mal für zwei, maximal drei Wochen. In der Zeit könnten wir hier dann ganz normal Glühwein ausschenken und den Weihnachtsmarkt eröffnen. Nach Silvester lösen wir die Unabhängige Neuruppinische Republik dann wieder auf. Was hältst du von meinem Plan? Du hast doch einen russischen Pass, oder?«

Tatsächlich hatte ich keinen russischen Pass, ich hatte auch nie einen besessen. Ich war nämlich nicht aus »Russland«, sondern noch aus der Sowjetunion nach Deutschland gekommen und war hier zehn Jahre später eingebürgert worden. Allerdings hatte ich meinen sowjetischen Pass als Reliquie behalten. Er liegt noch immer in der unteren Schreibtischschublade als Erinnerung an meine Heimat, die es nicht mehr gibt.

»Ich kann euch nicht besetzen, schon gar nicht für zwei Wochen«, konterte ich. »Das ginge vielleicht in der Ukraine oder in Kasachstan, aber hier in Deutschland würde sofort die Nato anrücken. Wir könnten keine zwei Stunden durchhalten. Was machst du denn jetzt mit deinem ganzen Bier und Glühwein ohne Weihnachtsmarkt? Trinkst du alles mit der Familie selbst aus?«

Zum Glück fand Christian eine Lösung. Er ließ sich dabei von einem berühmten russischen Zeichentrickfilm inspirieren: Der schlaue Hase verarscht den Wolf. Denn auch wenn Weihnachtsmärkte in Deutschland verboten waren, blieben die Wochenmärkte doch geöffnet. Also hat er seinen Weihnachtsmarkt in einen »Markt der momentanen Möglichkeiten« umbenannt, kurz MmM. Aus den umliegenden Dörfern lud er Künstler und Bauern ein, die auf dem Markt Käse, Wurst und warme Socken verkaufen durften, außerdem wurden Glühwein und Bier ausgeschenkt.

Auch die Mitarbeiter des Gesundheitsamtes besuchten den Markt der momentanen Möglichkeiten und waren zunächst etwas verdutzt. Sie wollten wissen, inwiefern er sich von einem Weihnachtsmarkt unterschied. Doch nach zwei Gläsern Glühwein mit »Russenschuss« hatten sie den Unterschied verstanden und waren beruhigt nach Hause gegangen. Auch meine Frau und ich besuchten den Markt, kauften Wurst und Käse und tranken mit den übrigen Gästen am Lagerfeuer auf Frieden und Völkerverständigung. Die Bürger zeigten Disziplin. Sie waren vollzählig zum Markt gekommen, trugen aber alle Masken, hielten Abstand und folgten den Bodenmarkierungen von einem Stand zum nächsten.

Interessanterweise hat die vielfach beschworene soziale Distanzierung eine Stärkung des sozialen Zusammenhalts bewirkt. Die Menschen halfen einander gern und benahmen sich vorbildlich solidarisch. Das Virus verbreitete sich inzwischen hauptsächlich in den Medien, und die Zeitungen lasen sich wie das Buch der Apokalypse. Jeden Tag wurde irgendwo auf der Welt eine neue Mutation des gefährlichen Virus entdeckt. Als Erstes war Großbritannien dran, pünktlich zu dessen endgültigem Ausstieg aus der Europäischen Union. Sofort schlossen mehrere Länder ihre Grenzen und ließen keine britischen Bürger mehr ins Land. Am Berliner Flughafen blieben jede Menge Polen mit britischen Pässen stecken, die Weihnachten zu Hause hatten verbringen wollen. Die Testkapazitäten am Flughafen reichten nicht aus, um alle britischen Polen schnell zu prüfen. Ein Freund von mir, der am Flughafen arbeitete, erzählte mir, die Polen hätten sich in dem noch immer nicht eröffneten Duty-free-Shop einquartiert und aus Frustration die Spirituosenabteilung geplündert. Südafrika meldete ebenfalls eine neue Virusmutation, dann folgten Südamerika, Kanada und plötzlich auch Sachsen-Anhalt. Die Virologen behaupteten, es sei noch unklar, wie sich das neue Virus von dem alten unterscheide, ob es gefährlicher sei oder denselben Schaden verursache, nur schneller.

Die Berliner verkrochen sich in ihren Wohnungen, und auf der Straße begegnete man höchstens noch besonders abhängigen Joggern mit eingebautem Schrittzähler sowie einigen verirrten Weihnachtsmännern. Diese Weihnachtsmänner wurden nirgendwo eingelassen. Laut den Beschlüssen der Berliner Gesundheitsverwaltung zur Hausschutzverordnung zählte der Weihnachtsmann nämlich zu einem fremden Haushalt. In der aktuellen Fassung dieses Dokuments war der Besuch des Weihnachtsmannes in seiner typischen Verkleidung einerseits theoretisch möglich. Solange nämlich nur ein Haushalt mit weniger als fünf

Personen (plus Kinder) anwesend war, durfte man jeweils einen Weihnachtsmann, eine Weihnachtsfrau oder einen Weihnachtsengel hereinlassen. Wären aber bereits zwei Haushalte oder fünf Erwachsene versammelt, so riet die Stadtverwaltung dem Weihnachtsmann, die Geschenke vor der Tür abzustellen, zu klingeln und von der Straße aus zu winken. Aus lauter Verunsicherung trauten sich die Weihnachtsmänner allerdings nicht einmal mehr, an den Türen zu klingeln. Sie joggten den Joggern hinterher.

Meiner Frau und mir war der Corona-Alltag ein wenig über den Kopf gewachsen. Und so beschlossen wir mitten in der Pandemie, Deutschland zu verlassen. Koste es, was es wolle. Wir wollten raus, raus zur Sonne, zur Freiheit. Um diese Jahreszeit war die Sonne auf unserer Halbkugel nur auf den Kanaren in erforderlichem Ausmaß zu finden. Die Kanarischen Inseln waren zwar im Dezember wie der Rest der Welt zum Risikogebiet erklärt worden, aber wir hatten uns an ein Leben im Risikogebiet längst gewöhnt. Welchen Unterschied sollte es schon machen, die Risikogebiete zu wechseln. Gut, wenn wir zurückkämen, müssten wir für zehn Tage in Quarantäne. Na und? Für uns war das keine große Hürde. Durch die Pandemie war ich sowieso arbeitslos geworden, und unser ganzes Leben in Berlin glich ohnehin schon einer einzigen Quarantäne, nachdem die Ausgehmöglichkeiten während des Lockdowns auf die eigene Küche und die Toilette beschränkt waren.

Und ein Flug auf die Kanaren war möglich: Jeden Sonntag startete in Berlin eine Eurowings-Maschine Richtung Sonne. Man musste nur einige Bedingungen erfüllen, sich einen negativen PCR-Test besorgen, der nicht älter als 72 Stunden sein durfte, eine spanische Sicherheits-App herunterladen, einen QR-Code beantragen und etliche Formulare online ausfüllen. Ich rief bei meiner Hausärztin an.

»Ja, Sie können den Test machen«, meinte sie. »Am besten am Mittwoch um 12.00 Uhr. Um 13.00 Uhr fährt der Kurier Ihre Probe ins Labor, und am nächsten Tag bekommen wir die Ergebnisse.«

Wenn wir am Donnerstagmittag die Ergebnisse bekämen, wäre der Test aber am Sonntagabend bereits zu alt, klärte ich die Ärztin auf.

»Nun gut, dann kommen Sie am Freitag«, meinte sie.

Wenn wir den Test aber erst am Freitag machen würden, hätten wir die Ergebnisse nicht vor dem Abflug bekommen. Es schien ein unlösbares Problem zu sein. Zum Glück hatte sich die Testindustrie in Berlin seit Jahresbeginn stark entwickelt. Die geschlossenen Clubs, Kneipen und Restaurants hatten sich in Testzentren verwandelt. Sogar der berüchtigte KitKat-Sex-Club war zu einem Corona-Testzentrum geworden. Zum Schnäppchenpreis von 24,95 Euro gab es dort auch freitags einen Abstrich. Ein wenig wurmte es mich jedoch, mich ausgerechnet in diesem komischen Club testen zu lassen. Meine Frau hatte noch größere Vorurteile, sie glaubte nicht an die Zuverlässigkeit der Tests, die in einer solchen Location durchgeführt wurden. »Kommt nackt & seid wild«, hieß es auf der KitKat-Facebookseite. Aber der Dresscode war jetzt vielleicht nicht mehr so streng wie sonst, und auf einen Türsteher würden sie wahrscheinlich auch verzichten.

»Ob es dort jetzt noch immer eine Warteschlange gibt wie in früheren Zeiten?«, überlegte ich. Am Ende siegte unsere Sehnsucht nach der Sonne, und wir überwanden unsere Vorurteile. Gleich nach Weihnachten gingen wir hin. Statt eines PCR- haben wir einen Schnelltest bekommen, was nicht einmal zwanzig Minuten dauerte. Auf dem Papier zur Vorlage bei Fluggesellschaft und Grenzkontrolle bescheinigte man mit Stempel und Unterschrift, dass bei uns beiden ein »Covid 19 Antigen Rapid Test« durchgeführt worden war, mit dem Ergebnis »negativ«. Der KitKat-Arzt hat uns den Weg zur Sonne freigemacht.

Am übernächsten Tag am Flughafen meinte die Flugbegleiterin zu uns, es sei nicht sicher, dass wir mit diesem Antigen-Fake-Test auf Gran Canaria durchkämen. Die spanische Regierung habe nämlich ausdrücklich nur den PCR-Labortest als Nachweis für die Gesundheit der Einreisenden erlaubt. Daraufhin waren viele Flüge storniert worden, weil die Menschen es nicht rechtzeitig geschafft hatten, den nötigen Test beizubringen. Die kanarische Verwaltung widersprach der spanischen Regierung und erließ eine eigene Verordnung, wonach die Antigen-Schnelltests für die Einreise auf die Insel genügten. Die spanische Regierung klagte beim Obersten Gericht und gewann, die kanarische Verwaltung ging in Revision.

Mitten in diesem juristischen Krieg schlichen wir uns in einem halbleeren Eurowings-Flugzeug ins Land, verkleidet mit Mund-Nasen-Schutz und auf Zehenspitzen, um die schlafenden Polen im Berliner Duty-free-Shop nicht zu wecken.

Gran Canaria

In der vorpandemischen Welt war Bewegungsfreiheit unser höchstes Gut. Im Grundgesetz kam sie gleich nach der Würde als wichtigste Zutat eines freien Lebens. Sie garantierte den Menschen das Recht, jeden Ort ihrer Wahl zu betreten, dort zu verbleiben und diesen verlassen zu dürfen, ohne durch die Staatsgewalt daran gehindert zu werden. Die Bewegungsfreiheit war die heilige Kuh einer demokratischen Grundordnung, die von den reiselustigen Bürgerinnen und Bürgern auch fleißig gemolken wurde. Sie konnte ihnen nur durch eine Festnahme entzogen werden. Oder durch eine Pandemie. Corona hat uns festgenommen und Bewegungslosigkeit gelehrt. Die Botschaft des Virus war eindeutig: Bleibt zu Hause! Isoliert euch, geht anderen Menschen aus dem Weg, und ihr werdet sehen, so schlimm ist das alles gar nicht. Es macht sogar Spaß!

Wir hätten es vorher wissen müssen. Das meiste, was wir gegen die Ansteckung unternahmen, war umsonst. Jeden Tag kamen neue Zahlen. Sie schwankten zwar, doch auch in diesem verlängerten Lockdown ging die Inzidenz nicht so steil nach unten wie erhofft. Es war zum Verzweifeln. Hörte das nie auf? Wozu dann die ganze Mühe? Man hatte das Gefühl, je mehr wir uns anstrengten, desto weniger brachte es. Diese Erkenntnis war nicht neu, das berühmte Pareto-Prinzip war bereits vor hundert Jahren formuliert worden. Diese Regel besagte, dass zwanzig Prozent unserer Anstrengungen achtzig Prozent der Ergebnisse lieferten. Die Menschen entspannten sich also und dachten: Noch ein bisschen durchhalten, und das Virus verschwindet von allein. Dann geriet aber alles ins Stocken. Es fehlten noch zwanzig Prozent zur Erreichung des Ziels, aber die würden die restlichen achtzig Prozent unserer Anstrengungen erfordern. Und zu denen waren wir nicht bereit.

Auch die berühmte 90-90-Regel spiegelte sich in der Pandemie wider. Anscheinend empfanden neunzig Prozent aller Menschen es als Bereicherung, wenn sie den restlichen neunzig Prozent der Menschen nicht begegneten. Sie hielten sie für wandelnde Krankheitserreger. Wie oft hatte ich im Lockdown gehört: »Von mir aus kann es immer so bleiben.« Welch eine Erleichterung – die unbevölkerten Straßen, keine sich tummelnden Menschenmengen, leere Busse und Bahnen, weniger Verkehr auf der Straße, keine Flugzeuge am Himmel, keine Grippewelle und endlich auch keine Touristen mehr.

Ja, der Tourist, das schlecht erzogene Kind der Wohlstandsgesellschaft, schien in Corona-Zeiten als Erstes ausgestorben zu sein. Ich war gespannt auf die Kanaren, dieses Paradies für Touristen. Würden wir allein am Strand liegen? Aus der Zeitung wusste ich, dass die Wintersaison 2020/21 für die Insel eine einzige Katastrophe war. Die Hotelbranche war doppelt und dreifach gestraft: Es gab keine Buchungen aus England, denn die abtrünnigen Briten, aus der EU ausgetreten, kämpften mit letzter Kraft gegen ihre besonders ansteckende Corona-Mutante und durften nicht verreisen. Die Franzosen hatten ab 18.00 Uhr Ausgangssperre, die Russen durften nicht fliegen, und das deutsche Auswärtige Amt hatte die Kanaren zum Risikogebiet erklärt und eine entsprechende Reisewarnung herausgegeben. Daher musste jeder, der es wagte, trotzdem hinzufahren, nach seiner Rückkehr zehn Tage in Quarantäne.

Das konnte uns nicht aufhalten. Seit Beginn der Pandemie war unser ganzes Leben eine einzige Quarantäne. Frau Merkel drohte, angesichts gefährlicher ausländischer Mutationen den Flugverkehr gänzlich einzustellen. Na und?, dachten wir. Dann blieben wir eben allein am Strand liegen. Aber wir waren gar nicht allein. An den Umständen gemessen war die Insel sogar ziemlich prall gefüllt. Die Spanier vom Festland hatten es trotz der strengen Auflagen ihrer Behörden auf die Insel geschafft, und die schlauen schwedischen Rentner waren vorsorglich bereits im Oktober zu ihren Winterdomizilen aufgebrochen, bevor das Virus ganz Europa festgenommen hatte. Gleichzeitig setzte

im Winter 2020/21 der Exodus aus Nordafrika mit neuer
Wucht ein. Tausende Geflüchtete überquerten den Atlantik, und Gran Canaria wurde zum neuen Migrantenhot-
spot. Fast jeden Tag fischte die Polizei neue Flüchtlingsboote aus dem Meer und brachte die Geretteten an Land.

Viele Gastbetriebe, vor allem große Hotelketten, hatten
beschlossen, ein Jahr zu pausieren und gar nicht erst auf-
zumachen. Im Hotelgewerbe lohnte sich nur die Vollbele-
gung, las ich. Sonst würde man achtzig Prozent der Kosten
für zwanzig Prozent der Gäste aufwenden und schnell ban-
krottgehen. Die Kreuzfahrtschiffe, die früher für die Tou-
ristenflut auf Gran Canaria gesorgt hatten, durften wegen
Corona ebenfalls nicht fahren. Ein paar der leergeräumten
AIDA-Schiffe wurden anscheinend im Hafen von Gran
Canaria den Winter über einfach liegen gelassen.

Flüchtlingsboote statt Kreuzfahrtschiffen also, Geflüchtete statt Touristen. Damit hatte die kanarische Verwaltung nicht gerechnet. Wohin mit ihnen? Anfangs wurden
die Geflüchteten einfach in die leer stehenden Hotels einquartiert. Zugleich konnte man an den Stränden von Las
Palmas in diesem Winter die seltsamste Vermischung von
Menschen der jüngeren Geschichte beobachten. Corona-
müde Spanier vom Festland saßen neben Geflüchteten aus
Afrika und schwedischen Rentnern, dazu ein paar Ruck-
sackreisende, die sich am Strand neben der öffentlichen
Toilette eine Sandburg gebaut hatten. Und natürlich die

Surfer in ihren schwarzen Gummianzügen, die tagelang auf die Welle ihres Lebens warteten, als wäre nichts geschehen.

Surfer sind tatsächlich ein besonderer Menschenschlag. Sie tauchen überall auf der Welt auf, wo es Wellen gibt, Corona hin oder her. Keine Apokalypse, kein Atomkrieg und schon gar keine Pandemie kann diese Menschen von ihrer Lebensaufgabe abhalten, im richtigen Moment aufs Brett zu springen. Meiner Meinung nach besteht die hohe Kunst des Surfens gar nicht darin, aufrecht auf dem Brett zu stehen, sondern den richtigen Moment abzupassen. Manchmal dauert das Warten auf die richtige Welle Jahre. Aber Surfer können, ohne zu essen und zu trinken, sehr lange im Wasser ausharren. Bewegungslos wie Frösche liegen sie auf ihren Brettern, kennen alle Fische beim Namen, schauen auf den Horizont und werden gelegentlich von falschen Wellen ans Ufer gespült. Sollte unsere Welt irgendwann durch eine Naturkatastrophe oder durch kollektives Versagen untergehen, wird der letzte Mensch auf Erden ein Surfer sein, der auf die letzte Welle wartet.

Aber eins nach dem anderen. So weit sind wir zum Glück noch nicht.

Nach fünf Stunden Flug fühlten wir uns kein bisschen müde. Wir waren um 8.00 Uhr morgens in Berlin losgeflogen und mittags bereits mit einem halb leeren Sonntagsflugzeug in Las Palmas gelandet. Am Flughafen herrschte eine ausgelassene Stimmung. Mit Thermometern bewaffnete Grenzsoldaten überprüften jeden am Ausgang auf mögliches Fieber, aber wir waren kalt wie Leichen. Immerhin war in Berlin Schnee gelegen. Man scannte unsere QR-Codes und kontrollierte die Corona-Tests. Obwohl wir keine richtigen PCR-Tests vorweisen konnten, sondern nur die schnelle KitKat-Variante, hörten wir kein böses Wort. Wir bekamen einen Corona-Denkzettel, auf dem stand, wir sollten unseren Aufenthaltsort nicht ohne Erlaubnis wechseln und auf der Straße Mundschutz tragen außer am Tisch und am Strand. Und wenn wir Husten bekämen, sollten wir uns in unserer Unterkunft einsperren und es über Notruf melden.

Draußen schien die Sonne. Nach einer dreißigminütigen Taxifahrt stiegen wir auf der Promenade in Las Palmas aus, der freundliche Manuel von der Hausverwaltung zeigte uns unser Apartment, legte die Schlüssel und einen Stapel Stoffmasken auf den Tisch – »Geht aufs Haus!«, witzelte er – und war schnell verschwunden. In der Sonne planschte der unruhige Ozean, das salzige Wasser schleifte den Sand und desinfizierte ununterbrochen die Felsen. Sämtliche Restaurants waren geöffnet. An den Tischen saßen die Schweden ohne Masken unter Sonnenschirmen, tranken Bier und beobachteten die Wellenreiter. Junge Jogger liefen barfuß über den Sand. Eine Yoga-Rentnergruppe übte am Strand den herabschauenden Hund, es roch nach

Fisch und Desinfektionsmittel. Wir waren im Paradies angekommen.

Als Erstes sprang ich ins Wasser und traf zum ersten
Mal in meinem Leben auf einen Oktopus. Ich glaube, es
war eine Sie. Eine echte Oktopussi mit Saugnäpfen an
ihren Tentakeln, die sie in einer freundlichen Begrüßungs-
geste zu mir ausstreckte, als wollte sie mich umarmen. Das
erinnerte mich daran, wie ich in Berlin einmal eine Russendisko für Taubstumme veranstaltet hatte. Bässe nehmen
nämlich auch taube Menschen gut wahr, und russische
Musik hat viele Bässe. Damals hatte ich mich zur Vorbereitung mit Gebärdensprache auseinandergesetzt, um die
Musikwünsche zu verstehen. Die meisten Gesten habe ich
zwar längst vergessen, aber Oktopussi gestikulierte so heftig mit ihren Tentakeln, dass ich beschloss, sie mit meinem Restwissen an Gebärdensprache zu konfrontieren. Ich
holte noch einmal tief Luft, tauchte unter und fragte sie:
»Wie geht's? Alles fit im Schritt? Bei uns in Deutschland
ist nämlich alles dicht, alle Geschäfte haben zu, und das
Reisen wird auch bald verboten sein. Und bei euch? Auch
Pandemie?«

»Sei still«, sagte Oktopussi, »und zappel nicht so herum.
Salz und Wasser, Sonne und Stein kann niemand verbieten. Sie sind einfach da. Genieß es.«

Für ein längeres Gespräch fehlte mir die Luft. Ich taufte
die Oktopussi auf den Namen Larissa, weil sie mich an

deren Darstellerin in der alten Verfilmung von *Doktor Schiwago* erinnerte. Als ich aus dem Wasser kam, schwor ich mir, nie wieder dieses wunderbare Tier zu essen. Es war ein grandioser Empfang.

Einen Tag hat es gedauert, bis wir die Lage gecheckt und die geltenden Schutzmaßnahmen verinnerlicht hatten. Auch auf den Kanaren herrschte coronabedingt der gesetzgebende Wahnsinn. Die epidemiologische Situation wurde mit einer Mischung aus bunten Corona-Ampeln und Warnstufen gemanagt. Diese Warnstufen dienten als eine Art Unterlegscheibe, damit die Ampel nicht zu schnell umschaltete. Je nach Ampelphase wurden neue Verhaltensregeln und Verbote erlassen und heftig von der *policía* kontrolliert. Die Inseln kämpften erbittert um das Recht, ihre Inzidenzen getrennt voneinander zu betrachten. Auf manchen waren nämlich viele Menschen positiv getestet worden, auf anderen hustete kein einziger. Als wir auf Gran Canaria ankamen, waren die Möglichkeiten des Ampel-Warnstufensystems für die Insel eigentlich bereits ausgeschöpft. Die rote Ampel wurde dunkelrot und bekam Alarmstufe 4. Das bedeutete, nach 18.00 Uhr sollten alle Freizeitaktivitäten beendet sein außer Spielen mit Hunden am Strand. In Restaurants durfte nicht mehr bedient werden mit Ausnahme der Tische an der Strandpromenade, und man durfte in der Stadt nur mit Maske herumlaufen oder nur am Strand ohne Mundschutz.

Menschen sind äußerst anpassungsfähig, sie gewöhnen sich schnell an alles, und das Leben nimmt seinen üblichen Gang. Die Spanier hatten ihre Masken rasch verinnerlicht, und viele nahmen sie auch am Strand nicht ab, obwohl sie gedurft hätten. Die aktuelle Strandmode 2021 war »oben ohne mit Mundschutz«. Es war merkwürdig zu sehen, wie Menschen mutterseelenallein am Strand mit Maske herumliefen. Ich konnte mich an den Stoff im Gesicht nicht gewöhnen und verbrachte die meiste Zeit dort, wo man ihn abnehmen durfte, also entweder im Wasser oder in den Restaurants. Es war auf jeden Fall besser als in Deutschland. Die Geschäfte hatten geöffnet, Friseure und Nagelstudios ebenfalls, man durfte sogar den Botanischen Garten besuchen – fast täglich und bis 14.00 Uhr. Nur das Technische Museum hatte zu. Doch wer wollte schon ins Museum, wenn es draußen 25 Grad hatte und das Meer rief?

Das Virus, das den Menschen überall dorthin folgte, wo sie sangen, sprachen und niesten, brachte uns letzten Endes an den Rand des Ozeans. Der Strand wurde unser letzter Zufluchtsort, weiter ging es nicht. Weiter saß nur Oktopussi Larissa, aber ihr konnte das Virus nichts anhaben, weil unter Wasser nicht gesungen, geplaudert und nicht geniest wurde. Angeblich waren alle Lebewesen vor Millionen Jahren den Ozeanen entstiegen und an Land gegangen, weil es ihnen im Wasser zu nass und zu langwei-

lig geworden war. Nun wurde die Menschheit zurück ins
Wasser gedrängt. Wir würden unter Wasser atmen lernen,
uns von Algen ernähren und nur nachts ans Ufer kommen,
wenn das Virus schlief. Meine Tage auf den Kanaren glichen einander. Nach
dem Frühstück joggte ich im Sand, sprang mit einem hal-
ben Brötchen ins Wasser, um die Fische und Larissa zu
füttern, plauderte mit den ständigen Strandbewohnern aus
der Sandburg, die bereits am frühen Morgen die Weiß-
weinpakete aus dem HiperDino-Supermarkt leerten (ein
Liter Weißwein zu 85 Cent) und die Tattoos der jungen
Spanierinnen besprachen.

Im Vergleich zu diesen Tattoos war alles, was ich in dieser Hinsicht aus meiner Kindheit kannte, ein trauriger
Anblick. Es waren hauptsächlich Anker, nur selten hatte
jemand einen Sonnenaufgang oder gar die Kuppel einer
Kirche auf der Brust. Damals wurden bei uns die meisten
Tattoos im Knast gestochen, und sie enthielten geheime
Botschaften: Kleine Punkte auf den Fingern standen für
die vielen verlorenen Jahre. Ein Messer und ein Herz be-
deuteten »geboren, um zu leiden«. Später in der Armee tä-
towierten sich meine Kameraden mit Schriftzügen. Mein
bester Armeefreund schrieb sich auf die Zehen »Sie sind
müde«. Andere ließen sich Zitate aus berühmten Gedich-
ten in die Haut stechen.

Diese Mode scheint jetzt zurückzukommen. Der

Mensch als Wortträger versucht, fremde Weisheiten auf dem eigenen Körper festzuhalten. Auf vielen Frauen konnte man längere Textpassagen in kleiner Schrift längs der Wirbelsäule oder am Rücken lesen, wo die Deutschen sich früher Arschgeweihe hatten stechen lassen. Den Inhalt der Texte konnte ich nicht entziffern, dazu fehlten mir die Spanischkenntnisse. Außerdem war die Schrift wie gesagt sehr klein. Ich bildete mir ein, es seien Gedichte. Nicht irgendwelche dämlichen Sprüche, sondern wertvolle verdichtete Gedanken, die man nie vergessen wollte. Allerdings wäre es natürlich Unsinn, sich etwas, was man immer vor Augen haben wollte, auf den Rücken schreiben zu lassen. Nur Tintenfische können nach allen Seiten sehen, Menschen nicht. Höchstwahrscheinlich waren die Rückengedichte also doch an andere adressiert.

Wie aufgeschlagene Bücher lagen die spanischen Schönheiten in der Sonne und warteten auf potenzielle Leserschaft. Und die fanden sie definitiv am Strand. Vor allem wurden sie von den Geflüchteten bewundert, die angezogen und in Gruppen über den Strand liefen und versuchten, die Textbotschaften zu entziffern. Sie sehnten sich anscheinend nach Bildung und bewunderten die spanische Dichtung. Noch mehr bewunderten sie jedoch die Brustimplantate, die neben den Texttattoos aktuell groß in Mode zu sein schienen.

Brustimplantate sind eine zirkusreife Nummer. Ich

werde nie vergessen, wie ich als Kind einmal in Moskau
den Zirkus besuchte. Uns wurde ein Elefant vorgeführt,
der auf einem Bein stehen konnte. Normalerweise stehen
Elefanten auf vier Beinen, und selbst dann ist es ihnen anzusehen, wie schwierig das ist. Der Elefant im Zirkus stand
auf einem Bein und formte dazu noch mit dem Rüssel eine
Brezel. Es war auf fantastische Art wunderschön, man hatte
das Gefühl, der Elefant könne mit einem Schritt die Gesetze der Physik außer Kraft setzen. Wir Kinder hätten uns
damals nicht gewundert, wenn er im nächsten Augenblick
hochgesprungen und zur Kuppel geflogen wäre. Ich habe
die Erinnerung an den auf einem Bein stehenden Elefanten fürs ganze Leben behalten. So ähnlich war es mit den
Brustimplantaten. Sie führten am Strand ein Eigenleben,
und wenn sich ihre Trägerin in den Sand werfen und hin-
legen wollte, blieben sie einfach stehen. Das wirkte auf die
Geflüchteten wie ein Wunder.

In den kanarischen Nachrichten, die ich regelmäßig
las, stand, mehrere Tausend Geflüchtete hätten die Hotels
wieder verlassen müssen, weil sie den spanischen Urlau-
bern ihre Urlaubslaune verdarben. Sie wurden irgendwo
am Hafen einquartiert. Wo genau, berichtete die Zeitung
nicht. Ich wünschte mir, sie hätten in den dort leer stehenden Kreuzfahrtschiffen eine neue Heimat gefunden.
Ein solches Schiff, eine riesige Wasserburg, konnte problemlos Tausende Menschen beherbergen. Sollte das Virus

nicht bald verschwinden und die Pandemie Alltag werden, müsste man für viele Einrichtungen eine neue Verwendung suchen: für den Einzelhandel in den Großstädten, für Clubs und Kongresshallen, für Restaurants. Die Kreuzfahrtschiffe, diese verlassenen Grabstätten des Massentourismus, könnten das neue Zuhause für viele werden, die ihre Heimat verlassen hatten.

Abends, wenn das Wasser abebbte und die Sonne sich hinter den Bergen versteckte, kam ein kalter Wind vom Atlantik, der uns sofort an unser verlassenes Zuhause, an Deutschland erinnerte. Dort musste es inzwischen frostig geworden sein. Ich telefonierte mit den Kindern und mit Mama. Ja, erzählten sie, gleich nach unserer Abreise sei Schnee gefallen und sogar liegen geblieben. Es sei alles weiß. Mutters neue Katze hatte in ihrem kurzen Leben noch nie Schnee gesehen. Sie saß auf dem Fensterbrett und beobachtete die vom Himmel fallenden Schneeflocken, als wären es vereiste Mäuse, die an ihrem Maul vorbeiflogen. Kleine erfrorene Fledermäuse bedeckten die Straßen und verwandelten die geparkten Autos in Schneeberge.

»Was für ein Glück, dass wir das nicht erleben müssen!«, freute sich meine Frau. Olga kann Schnee überhaupt nicht leiden. Sie nennt ihn »Faschismus der Natur« und geht nicht aus dem Haus, wenn draußen alles weiß ist. Sie hat ihre Kindheit auf der Insel Sachalin verbracht, wo die Stadtverwaltung mit zu Schneepflügen umgerüsteten

Traktoren Tunnel in die weiße Pracht grub, damit die Kinder durch einen Korridor aus Eis und Schnee in die Schule gehen konnten. Die Passanten warnten einander auf der Straße: »Vorsicht, Backe!« »Vorsicht, Nase!« Das hieß, man musste schnell sein Gesicht mit Schnee einreiben, damit nichts abfror.

In Deutschland hatten viele Menschen jedoch große Sehnsucht nach Schnee. Jedes Jahr beschwerten sich unsere Nachbarn und Freunde über die schneelosen deutschen Winter.

»Bei euch in Sibirien glitzert die Sonne so schön auf der endlosen Schneewüste, die Kinder laufen Ski und bauen riesengroße Schneemänner!«, sagten sie voller Neid. Dabei gab es eigentlich jedes Jahr ein bisschen Schnee in Berlin. Er rieselte leise vom Himmel. Ich dachte, meine Nachbarn würden sich darüber freuen. Aber nein, sie beschwerten sich trotzdem. Ihnen missfiel die Qualität des Schnees. Sie hatten ihn sich anders vorgestellt. Die Schneeflocken seien zu klein und auch nicht richtig weiß, sondern irgendwie grau und feucht, klagten sie. Außerdem fielen sie nicht aus einer großen weißen Wolke, wie es sich gehörte, sondern aus vielen kleinen grauen, die nicht hübsch genug aussahen. Dann taute dieser Schnee auch noch zu schnell, und die gebastelten Schneemänner sahen bald wie Penner aus, schmutzig und schräg. Sie fielen auseinander, noch bevor man sie zu Ende gebaut hatte. Die Fahrradfahrer konnten nicht fahren, die Autofahrer kamen nicht voran, und der Sohn des Nachbarn, der trotz aller Warnungen versucht hatte, Fahrrad zu fahren, war innerhalb eines Tages dreimal ausgerutscht und auf die Nase gefallen.

»Es ist einfach der falsche Schnee«, sagten die Winterliebhaber. »Nicht wie bei euch in Sibirien.«

Was soll's, dachte ich. Man konnte es den Leuten nicht recht machen. Und es scheint ja auch zu stimmen, dass wir nicht wissen, was wir vermissen.

Die sonstigen Nachrichten aus Deutschland waren so lala. Je dramatischer die Fallzahlen sanken, desto größer war die Besorgnis, dass wir den Lockdown zu früh beendeten. Ginge es nach dem Willen der Politiker, würde der Lockdown für alle Fälle fortgesetzt. Das Virus war hinterhältig, es ließ sich nie ganz aus der Welt schaffen. Und wir wussten nach wie vor nicht, wo es sich versteckte. Bei den Friseuren? In den Kitas? In den Restaurants oder in den Museen? Man konnte nicht in den Kopf des Virus schauen, man konnte die Infos nicht aus ihm herausquetschen. Außerdem hatte es gar keinen Kopf und redete nicht. Aber selbst wenn die Viren sprechen könnten, würden sie uns nicht sagen, wo sie demnächst zuschlagen wollten. »Wir haben keine Ahnung, wo es im nächsten Monat brennen könnte, also lassen wir lieber alles zu« – so der Unterton der Politik.

Ich persönlich glaubte, nur die Impfung konnte Deutschland aus dem Lockdown befreien. Überall auf der Welt wurde schon heftig geimpft, auch in Berlin ging es langsam voran. Als Gruppe mit der höchsten Priorität sollten zunächst die Neunzigjährigen geimpft werden. Meine Mutter war gerade im Dezember 89 geworden und gehörte nicht dazu, hatte es aber immerhin in die Gruppe mit der zweithöchsten Priorität geschafft, zusammen mit ihrer besten Freundin Tante Inge, die ein Jahr jünger war als sie, was aber niemand bemerkt hätte.

Tante Inge hatte in letzter Zeit ziemlich nachgelassen. Sie brachte Wochentage durcheinander und wusste nicht mehr, wie ihr Fernseher anging oder ihre Enkelkinder hießen, doch je mehr sie vergaß, umso optimistischer wirkte sie. Sie freute sich auf die Impfung.

»Wenn wir auch das überstehen, dann werden wir unsterblich, Shanna! Wir werden ewig leben!«, freute sich Tante Inge.

Shanna – meine Mutter – war skeptisch. Sie hatte sich in ihrem Leben kein einziges Mal freiwillig impfen lassen, und es ging ihr gut. Wozu also die Eile? Ein altes russisches Sprichwort sagt: »Das Bessere ist der Feind des Guten.« Sie wählte trotzdem die Nummer auf der Impfeinladung und erwischte im Impfcallcenter sofort einen russischsprachigen Mitarbeiter, der so freundlich zu ihr war, als habe er die ganze Zeit nur auf ihren Anruf gewartet. Er gab beiden Frauen einen Termin für den 21. Januar und versicherte, sie könnten zur Impfung ein Taxi nehmen, und zwar für Hin- und Rückweg. Auch die Taxikosten würde der Staat übernehmen.

Meine Mutter legte auf und dachte nach. Ein Russe im Impfcallcenter konnte ja noch Zufall sein, aber die Sache mit dem Taxi machte sie äußerst misstrauisch. Zweifel kamen auf. Sollte sie sich wirklich impfen lassen oder lieber noch abwarten? Könnte sie vielleicht Jüngeren den Vortritt lassen und erst einmal schauen, was passierte?

Meine Landsleute sind von Natur aus misstrauisch und skeptisch dem Staat gegenüber, besonders diejenigen, die in der Sowjetunion aufgewachsen sind. Sie wissen genau: Wenn dich der Staat mit einem persönlichen Schreiben zu einer Impfung einlädt, um dein Leben vor einer tödlichen Krankheit zu schützen, und auch noch das Taxi bezahlt, dann ist da irgendetwas Dickes im Busch. Meine Mutter rief noch einmal im Callcenter an und fragte, ob sie ihren Termin unter Umständen einem Verwandten schenken könnte, zum Beispiel ihrem Enkelsohn oder der Enkeltochter? Die jungen Leute würden ja viel stärker unter der Angst leiden, an Corona zu sterben, als die älteren Zeitgenossen. Diesmal hatte sie eine Dame ohne Russischkenntnisse an der Strippe, die ihr erklärte, der Termin sei nicht übertragbar.

»Und wenn Sie nicht vakziniert werden wollen, müssen Sie mir das jetzt gleich sagen, dann streiche ich Sie von der

Liste«, erklärte die Dame mit Stahl in der Stimme. »Ich frage Sie ein letztes Mal. Wollen Sie, Frau Kaminer, vakziniert werden?«

»Ja. Ja, ich will«, zischte Mama leise und legte auf.

Ich machte mir ein wenig Sorgen, weil ich meine Mutter nicht zum Impftermin begleiten konnte, wenn ich auf den Kanaren saß.

»Das wird schon gehen«, beruhigte sie mich am Telefon. »Inge und ich fahren zusammen hin.« Ihre Freundin hatte ja zur gleichen Zeit am gleichen Ort einen Impftermin. Das war für beide Frauen gut. Denn so konnte meine Mutter auf ihre Freundin aufpassen, die sich neuerdings manchmal danebenbenahm. Es war alles perfekt organisiert. Sie wurden mit dem Taxi hin- und später wieder nach Hause gefahren und reihten sich erst einmal in eine lange Schlange von Taxis ein, die sich vor dem Messegelände gebildet hatte. In jedem Auto saßen alte Berlinerinnen und Berliner, die auf ihre Spritze warteten. Es wurden immer etwa zwanzig Menschen auf einmal hereingelassen und vor der Impfung darüber belehrt, was Corona eigentlich war, warum es gefährlich für ältere Menschen sein konnte und warum zwei Impfungen gemacht wurden, die vor Corona schützen und eine Immunität aufbauen sollten.

»Haben Sie Fragen? Nur keine Scheu!«, rief der mit Maske und weißem Kittel bekleidete Vortragende. Meine Mutter hatte sich bei seiner Aufklärung eher gelangweilt.

Sie hatte kein Interesse an Virologie und keine Fragen. Sie wollte nach Hause. Ihre Freundin dagegen hatte sich sehr in den Stoff vertieft. Noch bevor meine Mutter reagieren konnte, zog sie schon die Hand hoch.

»Ich habe eine Frage! Wie unterscheiden sich die beiden Impfungen, und in welcher Reihenfolge werden die Impfungen gemacht?«, fragte Tante Inge.

Der als Arzt verkleidete Mann schaute sie lange und aufmerksam an. An seinem Gesicht konnte man ablesen, wie überraschend er die Frage fand. Er war auf sie nicht vorbereitet.

»Also«, fing er nachdenklich an, »ich glaube, zuerst wird die erste Impfung gemacht und dann die zweite. Dann haben Sie es in zwei Wochen.«

»Was habe ich in zwei Wochen? Wie kann ich feststellen, dass das, was ich in zwei Wochen habe, mir auch etwas nützt? Und sind Sie sicher, dass das die richtige Reihenfolge ist?«, verunsicherte Tante Inge den Arzt weiter.

»Danke für Ihre Frage«, sagte der Arzt. »Das ist genau die richtige Reihenfolge, Sie haben dann die Immunität.«

»Hör bitte auf«, zischte meine Mutter ihre Freundin an. »Sonst kommen wir hier nie raus.«

Die Spritze haben die beiden Frauen dann gar nicht bemerkt. Die Fahrt sei als Abenteuer interessanter gewesen als die Impfung, berichtete meine Mutter. Auch Nebenwirkungen konnten die beiden Frauen nicht an sich feststellen.

Einige Tage später rief mich Mama an, ich war gerade vom Joggen zurück.

»Ich glaube«, berichtete sie, »dass mein Laptop und mein Telefon meine Gedanken lesen können.«

»Ach, Mama«, lachte ich. »Das ist doch ein alter Hut. Inzwischen weiß jedes Kind, dass unsere Telefone uns abhören. Auch wenn sie nicht benutzt werden und nur still auf dem Küchentisch liegen, hören sie genau zu, worüber ihre Besitzer sich unterhalten.«

Beweise dafür musste man nicht lange suchen. Ich selbst hatte kurz zuvor abends auf dem Laptop einen alten Film angesehen und laut zu meiner Frau gesagt, Angelina Jolie habe früher wie eine Barbiepuppe ausgesehen. An den folgenden Tagen bekam ich auf meinem Smartphone laufend Werbung für Barbiepuppen. So viele Puppen hatte ich in meinem ganzen Leben noch nicht gesehen. Meine Tochter hatte ihrer letzten Barbie bereits vor zwanzig Jahren den Kopf abgedreht. Nun trafen wir uns wieder. Und ich musste überrascht feststellen, dass es sie inzwischen mit Pediküre-Set und Wellness-Sprudelbad gab.

Darüber wollte ich aber gar nicht schreiben. Je dichter der Wald, umso dicker die Partisanen.

Mama erzählte, ihr Laptop würde ihr seit einer Woche Werbung für Dinge schicken, die sie im Schlaf gesehen hatte. Sie habe so völlig irre bunte Träume, zum Beispiel, dass sie eine dreitägige Busfahrt nach London machen würde, wie sie es früher, vor der Pandemie, gerne getan hatte: ein Tag London, zwei Tage im Bus. Im Traum saß sie in einem rosa Pullover mit schwarzen Blümchen darauf am Fenster und glühte vor Freude. Am nächsten Morgen hat sie darüber gelacht. Die Grenze nach England war schon lange dicht, es gab überhaupt keine Busreisen mehr, und niemals würde sie einen rosafarbenen Pullover tragen.

Beim Frühstück schaute Mama dann auf ihren Laptop, und das Erste, was sie sah, war ein großes Werbebanner mit dem Pullover aus ihrem Traum: schwarze Blumen auf rosa Hintergrund für 49,90 Euro. Seit ihrer Impfung war gerade eine Woche vergangen.

Ich glaube nicht an Verschwörungstheorien, obwohl ich diesen Bill Gates nie leiden konnte, der uns ständig bevorstehende Pandemien prophezeite. Doch Mamas Bericht gab mir zu denken. Die Querdenker hatten uns gewarnt, dieses ganze Corona und diese eilige Impfstoffvergabe wären von Bill persönlich organisiert, damit er in flüssiger Form in unsere Hirne eindringen, die Weltherrschaft an sich reißen und uns im Schlaf Werbung für rosa Pullover unterjubeln könne. Nun war genau das bei Mama möglicherweise passiert. Es führte kein Weg zurück. Wir waren alle gespannt auf weitere Träume.

Mit neunzig fliegen wir zum Mars

Am 1. März, pünktlich zu Beginn des Frühlings, wurde auch der Beginn der dritten pandemischen Dauerwelle aus der zweiten Staffel verkündet. Dessen ungeachtet machte das Corona-Kabinett allen Bürgern des Landes ein Geschenk: Die Würde wurde uns zurückgegeben – die Friseure durften wieder öffnen. Friseure seien nicht nur für Outfit und Hygiene zuständig, guter Haarschnitt stärke das Selbstbewusstsein. Die Menschen würden wieder menschlich aussehen wollen und nicht wie stark behaarte Tiere. Somit sei der Friseur für unsere Würde zuständig, sagte der Bayerische Ministerpräsident. Und egal was sonst passiere, unsere Würde dürften wir nicht verlieren, sie stehe ganz oben im Grundgesetz. Gleichzeitig warnte er vor einem »unkontrollierten Öffnungsrausch«. Wir hätten gerade die zweite Welle erfolgreich hinter uns gebracht und sollten uns weiterhin mit offenen Augen bewegen. Er wolle den »Blindflug in die dritte Welle« verhindern. Wir sollten jetzt bloß nicht die Nerven verlieren und unsere mit Schweiß, Blut und Tränen errungene neue Lockdown-Normalität nicht leichtsinnig aufgeben, meinte der Bayer.

Die Würde mittels Haarschnitt sollte also fürs Erste reichen wie ein Stück Torte, das Tante Inge in Vorbereitung ihres bevorstehenden Geburtstags jeden Sonntag meiner Mutter zur gemeinsamen Verkostung vorbeibrachte. Die Rückkehr der Friseure war ein schwacher Hoffnungsschimmer, und trotzdem feierten die Medien diesen ersten kleinen Schritt so überschwänglich, als würden die Friseure tatsächlich die Welt retten. »Berlin freut sich auf die neue Haareszeit!«, jubelte die *Morgenpost*. »Schnitt für Schnitt zurück im Leben«, schrieb die *Berliner Zeitung*, die sogar von »Freudensträhnen« berichtete.

Meine Tochter verbrachte drei Stunden beim Friseur, um ihre im Lockdown vernachlässigten Strähnen wieder blond färben zu lassen. Mama hatte ebenfalls gleich am ersten Tag der Öffnung einen Termin vereinbart. Dass Friseursalons wieder Kunden empfangen durften, wurde als Vorstufe eines ausgeklügelten Stufenplans präsentiert, eines Pfades, der uns aus dem dunklen Wald der Pandemie herausführen sollte. Als Nächstes sollten die Garten- und Baumärkte wieder öffnen, dann Schulen, Museen und Bibliotheken, und irgendwann in ferner Zukunft sollte vielleicht sogar wieder Gastronomie an der frischen Luft möglich sein. Der Inzidenzwert von 35 wurde als unrealistisch erkannt und auf 50 erhöht. Wenn alles gut ginge, würden sich Ende März bis zu fünfzig Personen an der frischen Luft treffen dürfen – mit vorheriger Anmeldung und einem tagesaktuellen Antigenschnelltest, versteht sich. Wenn an sieben Tage in Folge eine Inzidenz unter 35 erreicht würde, könnten Menschen aus verschiedenen Haushalten sogar in geschlossenen Räumen Kontakt miteinander aufnehmen. Oder sie gründeten einen neuen gemeinsamen Haushalt. Es wäre auch denkbar, dass Menschen, die in die Disko wollten, vorübergehend einen gemeinsamen Haushalt gründeten, um ihn wieder aufzulösen, sobald die Disko vorbei war und sie kein Interesse mehr aneinander hatten.

Ist unser ganzes Leben nicht ein Blindflug ins Ungewisse? Achtzig oder neunzig Jahre verweilen wir an einem Ort, von dem wir nichts wissen, und verlassen ihn wieder, bevor wir irgendetwas verstanden haben. Mit seinem Stufenplan produzierte das Corona-Kabinett Unsicherheiten ohne Ende. Und wenn die Inzidenz gar nicht zurückging? Wenn die Impfungen gegen die Mutanten nicht griffen? Was würde mit uns geschehen? In einem oder in zwei Jahren? Aber so weit in die Zukunft zu schauen wagte keiner.

Tante Inge blickte zumindest ein paar Monate nach vorn. Jeden Sonntag backte sie nach dem alten Rezept ihrer Großmutter eine Torte, die im 19. Jahrhundert ein kulinarisches Highlight gewesen sein musste. Sie bereitete sich nämlich auf ihren neunzigsten Geburtstag vor. Sie und meine Mutter waren fast gleich alt: Mama sollte im De-

zember neunzig werden, Tante Inges Geburtstag war im
Mai. Sie fing aber schon Ende Februar mit den Vorbereitungen an und benutzte meine Mutter als Vorkosterin.
Beide Frauen trafen sich regelmäßig und ohne Angst, obwohl sie zu zwei verschiedenen Haushalten gehörten. Sie
durften das. Beide waren als Prioritätsgruppe bereits zwei
Mal mit dem hochmodernen Impfstoff von Biontech/Pfi-
zer geimpft worden. Frisch frisiert und gut gelaunt fühlten
sie sich unsterblich.

Über die Impfreihenfolge wurde in Deutschland heftig
diskutiert. Zuerst waren die über Achtzigjährigen an der
Reihe, dann die Generation siebzig plus, danach das medizinische Personal und die Feuerwehrmänner, Lehrerinnen
und Lehrer sowie alle weiteren Menschen aus systemrelevanten Berufen. Und später, irgendwann einmal, vielleicht
all die anderen, sofern sie es noch brauchten. Jeder Versuch, sich in der Schlange vorzudrängeln, wurde bestraft.
Die leiseste Vermutung, dass jemand aus der Reihe tanzte
und sich vorzeitig die Spritze geben ließ, wurde als Skandal
angesehen. Gleichzeitig wurde ein europäischer Corona-
Impfpass diskutiert, der den Geimpften wieder alle Freu-
den des Lebens ermöglichen würde.

Sollte die Medizin eines Tages ein Mittel gegen den Tod
finden, ein Vakzin der Unsterblichkeit, müsste die Verteilung genau so organisiert werden. Dann hätten wir eine
schöne Welt, in der unsterbliche Rentner ununterbrochen

in elektrischen Reisebussen von Event zu Event torkelten und unsterbliche Feuerwehrmänner eine ewige Feuerwache schoben.

Meine Mutter und ihre Freundin fühlten sich jedenfalls auf der sicheren Seite. Ihnen konnte nichts mehr passieren. Höchstens eine Tortenvergiftung. Obwohl Tante Inge dem Rezept ihrer Kindheit genau folgte, gelang ihr die Torte nicht. Mal war der Teig zu trocken und fiel auseinander, mal wurde die Creme zu fest – die Torte wollte einfach nicht schmecken, wie sie sollte. Tante Inge machte die modernen Zutaten dafür verantwortlich. Mehl, Wasser und auch die Sahne waren nicht mehr das, was sie früher einmal gewesen waren.

Dieselbe Enttäuschung fühlte sie beim abendlichen altbewährten Kulturprogramm. Die Schwarz-Weiß-Filme und Theatervorführungen, die sich beide Frauen bei ihren Treffen gern auf DVD anschauten, waren mit der Zeit immer anstrengender zu verstehen. Überhaupt hatten die Damen ein Problem damit, sprechenden Menschen auf dem Bildschirm zu folgen. Diese redeten zu undeutlich, zu schnell oder zu leise, und manche hatten mit der Zeit eine äußerst unangenehme Tonlage entwickelt.

Es blieb also nur das Ballett. Zwei Heldinnen ihrer Jugend, die Primaballerinen Maja Plissezkaja und Galina Ulanowa, Ikonen des klassischen russischen Tanzes, eroberten das Herz der Freundinnen immer wieder aufs Neue. Bis Tante Inge eines Tages im März sagte, die Plissezkaja würde bei ihren Auftritten den Bildschirm verdunkeln und mache den Fernseher kaputt. Meine Mutter war verblüfft. In der Tat waren die Aufnahmen der Plissezkaja etwas dunkler als andere Filme, was an der damaligen Aufnahmetechnik lag, die noch nicht so ausgefeilt war wie die heutige. Allerdings sah meine Mutter darin keine Gefahr für ihren Fernseher.

»Lass uns *Romeo und Julia* noch einmal gucken«, bat sie ihre Freundin. »Ich bin sicher, wir können es heller einstellen.«

Doch Tante Inge vertrat felsenfest die Meinung, ein weiteres *Romeo und Julia* würde den Fernseher für immer zerstören. Dann wäre jeder weitere Film genauso dunkel wie das Ballett.

»Wir können es ja ausprobieren«, ließ meine Mutter nicht locker. »Sollte der Bildschirm wirklich dunkler werden als davor, können wir die DVD schnell austauschen.«

»Dieses Ausprobieren bringt nichts«, bestand Tante Inge auf ihrer Meinung. »Du siehst es an meiner Torte. Sie schmeckt jedes Mal anders, aber nie so, wie sie soll.«

»Ich glaube, meine Freundin dreht langsam durch«, beschwerte sich Mama bei mir in der Küche in einem vertraulichen Gespräch.

Nicht nur Tante Inge, die ganze Welt verlor langsam die Nerven. Und meine Kinder verloren laufend Sachen. Mal ihre Wohnungsschlüssel, mal den Pass oder Führerschein. Ich führte das auf Corona und den zu langen Lockdown zurück – eine Art Knockdown. Die junge Generation war daran gewöhnt, in einer Welt zu agieren, die verlässlich und unveränderbar wie eine Schweizer Uhr tickte. In dieser Welt konnten die Jungen rebellieren, gegen den Uhrzeigersinn ätzen oder als überzeugte Konformisten mit dem Uhrzeiger laufen. Doch wenn die Weltuhr kaputtging, hatten sie nichts, wogegen sie rebellieren konnten. Dann verloren sie sich und dazu gleich ihre Wohnungsschlüssel, Pässe und Führerscheine.

In diesen Zeiten versuchte jeder, sich auf seine Art zu beruhigen. Meine Tochter bekam von ihrer besten Freundin das Sockenstricken beigebracht. Sie strickte und strickte und strickte. Socken für die ganze Familie, für Freundinnen und Freunde, für die Nachbarn. Die Sockenproduktion schien so endlos wie Corona. Eines Tages erwischte ich meine Tochter dabei, wie sie so klitzekleine Söckchen strickte, als wollte sie die längst entsorgten Puppen ihrer Kindheit damit ausstatten.

»Ich habe beschlossen, Socken für meine Katzen zu stricken. Sie trampeln so schrecklich laut im Korridor«, erklärte sie.

Mein Sohn entdeckte Yoga für sich und ging sämtliche Varianten durch. Er begann mit Hatha Yoga, dann kamen Ashtanga und Kundalini dazu.

»Lerne deinen eigenen Körper neu kennen«, sagten die YouTube-Gurus. »Achte auf deine Atmung, bring deinen Körper mit deinem Geist in Einklang.«

Jeden Tag lernte mein Sohn seinen Körper neu kennen, achtete auf seine Atmung und brachte seinen Geist damit in Einklang. Dazu hörte er Rap.

Aber nichts half wirklich dauerhaft. Die beste Freundin von Nicole beschloss daher über Nacht, mit dem Stricken aufzuhören, und fuhr nach Bosnien. Dort saßen an der Grenze zur EU Tausende Geflüchtete fest, hauptsächlich aus Afghanistan und Pakistan. Eine internationale Hilfsorganisation versuchte, diese Menschen in Not zu unterstützen. Sie schickte Freiwillige, die die Geflüchteten auf eigene Gefahr medizinisch versorgten und ihnen Nahrungsmittel brachten. Die Freundin hatte über ihren Bruder Kontakt zu dieser Hilfsorganisation bekommen und schickte nun meiner Tochter beinahe täglich per WhatsApp Bilder aus Bosnien. Sagenhaft schöne Landschaften, Felsen und Wasserfälle. Außerdem war sie von ihrer neuen Rolle als Wohltäterin der Menschheit begeistert. Ihr Selbstwertgefühl war enorm gestiegen. Gleich in der ersten Woche hatte sie zwei Heiratsanträge von Geflüchteten abgelehnt.

»Ich möchte auch nach Bosnien!«, quengelte daraufhin meine Tochter. Ein weiteres Leben in Berlin mache keinen Sinn. »Ich möchte andere Menschen sehen, ich halte es hier nicht mehr aus. Noch drei bis fünf Corona-Wellen, und ich bin wie Oma. Soll ich etwa hier schmoren, bis ich neunzig bin?«

Der Weg zum Ort künftiger Wohltätigkeit war angeblich gar nicht so beschwerlich: bis München mit dem Zug, und ab da fuhr alle paar Tage ein Bus nach Bosnien.

»Ironie des Schicksals«, sagte Nicole. »Dort in den Zelten sitzen Menschen, die unbedingt in die EU hineinwollen, am liebsten nach Berlin, während ich hier sitze und unbedingt rauswill.«

Die Corona-Situation in Bosnien war nicht geklärt. Von Reisen außerhalb der EU wurde von offizieller Seite weiterhin auf alle Fälle abgeraten.

»Warte doch bitte, vielleicht ändern sich die Reisebedingungen«, sagten wir Eltern, die selbst auch gerne wieder unterwegs gewesen wären. Nun war unser Planet zum Risikogebiet erklärt worden. Von jeglichen Ausflügen wurde abgeraten, egal ob mit dem Zug, dem Flugzeug oder dem Auto. Die einzige Reise, die zeitgemäß schien, war der Flug zum Mars, allerdings ohne Passagiere. Wir konnten die Unternehmung im Fernsehen verfolgen. Der neue NASA-Mars-Rover war bereits Ende Februar auf dem roten Planeten im Jezero-Krater gelandet und schickte seither beinahe täglich superscharfe Bilder von der hügeligen Landschaft. Überall auf der Welt schauten sich die Menschen die Bilder an. Auch wir saßen jeden Abend vor der

Glotze und betrachteten diese Aufnahmen vom Mars. Der Planet sah nicht besonders einladend aus und sollte den Erdmenschen wahrscheinlich ihre Reiselust gänzlich austreiben. Ein dunkel bedeckter Himmel, Steine und Sand – ein bisschen sah es auf dem Mars aus wie auf den Kanaren bei schlechtem Wetter, nur ohne Touristen und ohne Strand.

Obwohl in diesem Winter auf den Kanaren auch wenig los war. Die seltene Mischung aus Touristen und Geflüchteten, die ich an den Stränden von Gran Canaria beobachtet hatte, bekräftigte mich in der Vermutung, die Hölle und das Paradies seien im Grunde derselbe Ort. Es kam nicht auf die Landschaft, sondern auf die persönlichen Umstände an.

»In dreißig Jahren wird der Mars ein begehrtes Reiseziel sein«, klärte uns eine Wissenschaftssendung im Fernsehen auf. Es klang wie eine Drohung. Mit neunzig würden wir also zum Mars fliegen. Neun Monate wären wir dafür unterwegs.

»Was erzählen die denn, soll das ein Witz sein? Was wollen wir auf dem Mars? Wir dürfen ja nicht einmal an die Ostsee fahren!«, regte sich mein Sohn auf.

»Beruhige dich, Junge«, sagte ich. »Der russische Impfstoff ist schon unterwegs!« Die Russen hatten so viel davon produziert, dass sie mit ihrem Sputnik V in kürzester Zeit den ganzen Erdball impfen konnten. Angeblich schützte dieses Zauberzeug nicht nur vor Corona, es versetzte das Immunsystem auch gegen jede andere Gefahr in Alarmbereitschaft. Es mehrten sich Berichte von bereits Geimpften, die sich wie neugeboren fühlten, nichts tat ihnen mehr weh. »Sehr bald werden wir geimpft und unsterblich sein. Wir werden lange leben und nichts zu tun haben«, erklärte ich meinem Sohn. »Was würdest du mit neunzig gerne machen wollen?«, fragte ich ihn.

»Graffiti natürlich, was sonst?«, entgegnete er. Mein Sohn hatte sich schon immer für die Graffiti an besonders schwer erreichbaren Stellen interessiert, auf einem Eisenbahntunnel, an einem Schornstein, einer kaputten Brücke oder auf einer Hauswand in zehn Metern Höhe. Er konnte sich nicht vorstellen, wer diese Menschen waren, die ihr Leben aufs Spiel setzten, sich von einer Brücke abseilten oder an einem Schornstein hochkletterten, um dort ihre bescheidene Botschaft zu hinterlassen. Die Graffiti-Künstler, die er kannte, trauten sich das nicht, sie besprayten hauptsächlich Türen und Hausfassaden. Ein Freund meines Sohnes sagte, er habe das Rätsel gelöst: Diese lebensgefährlichen Zeichnungen würden wahrscheinlich von Neunzigjährigen gemacht, weil die sowieso nichts mehr zu verlieren hatten. Er habe sogar einmal auf einer Brücke einen solchen Opa mit Kapuze und einer drei Meter hohen Leiter getroffen.

»Neunzigjährige sind cool. Sie müssen niemandem

mehr etwas beweisen, sie werden akzeptiert, wie sie sind, und dürfen offiziell Blödsinn machen. Ein feines Leben!«, nickte mein Sohn.

Er hatte recht. Es ging voran mit uns Menschen. Die Lebenserwartung stieg, immer mehr Menschen wurden neunzig Jahre alt, sofern sie nicht vorher an oder mit Corona starben. In meiner Kindheit und Jugend glich es einem Wunder, einem Neunzigjährigen zu begegnen. Heute waren sie keine Seltenheit mehr, nicht einmal in meiner Heimat, wo die Menschen traditionell kurz und lustig lebten. Michail Gorbatschow war zum Beispiel im März 2021 auch neunzig Jahre alt geworden und könnte damit als am längsten lebendes Staatsoberhaupt des größten Landes der Welt ins Guinness Buch der Rekorde eingetragen werden. Damit würde er Alexander Kerenski übertreffen, der nach der Februarrevolution 1917 einige Monate lang die russische Übergangsregierung geleitet hatte, danach außer Landes geflohen und im hohen Alter von 89 Jahren in New York gestorben war.

Auch Gorbatschow war nur kurz an der Macht gewesen. Vielleicht lag darin der Schlüssel zu seiner Langlebigkeit. Die Russen mochten ihn anfangs sehr, denn er brachte Veränderung ins Land. In unserem roten Imperium hatte sich seit einer gefühlten Ewigkeit nichts bewegt. Unsere Nachrichten bestanden nur aus Berichten über Milcherträge und Rekorde bei der Weizenernte, aus Eishockey-

spielen und Wetterprognosen. Ab und zu flogen Raketen ins Weltall, und stolze Kosmonauten winkten uns von
den Fernsehbildschirmen zu. Manchmal heiratete irgendein Schauspieler, oder ein Balletttänzer kehrte von einem
Gastspiel im Westen nicht zurück. Unsere Führung bestand aus Schwerkranken, die kaum noch sprechen konnten. Der Sozialismus staubte vor sich hin.

Bis eines Tages Gorbatschow kam. Er konnte lächeln. Er
konnte sprechen, ohne vom Zettel ablesen zu müssen. Er
konnte Treppen steigen, was für die sowjetische Führung
ebenfalls keine Selbstverständlichkeit war. Der erste Witz
über ihn ging so: »Wer stützt Gorbatschow? Niemand, er
läuft von allein.« Und er hatte eine sehr schöne Frau. So
etwas wie eine First Lady hatte es in der Sowjetunion vorher nicht gegeben. Anders als ihre Vorgängerinnen achtete
sie auf ihr Äußeres, trug ausgewählte Kleider und Hand-
taschen, legte Make-up auf und hatte eine Frisur, die für
kurze Zeit sogar in Mode kam. Russische Frauen ließen
sich in den Friseursalons die Haare à la Raissa schneiden.

Doch Gorbatschows Politik kam beim Volk nicht gut an.
Viele meiner Landsleute gaben ihm die Schuld am Zer-
fall des großen Imperiums. Sein Konzept vom »Sozialismus mit menschlichem Antlitz« – einem Gesicht, das nach
außen milde lächelte, nach innen aber weiterhin grimmig
guckte – weckte falsche Hoffnungen, die in bittere Enttäuschung mündeten. Vor allem seine naive, zu kurz ge-

dachte und schlecht organisierte Anti-Alkohol-Kampagne sorgte für Unmut und brachte das halbe Land auf die Palme beziehungsweise auf die Birke. Auch Gorbatschows Schweigen während der Tschernobyl-Katastrophe hinterließ Zweifel an seiner Glaubwürdigkeit. Ausgerechnet derjenige, der sich für Glasnost in der Politik und für freie Medien einsetzte, versuchte die Wahrheit über die Reaktorkatastrophe zu vertuschen.

Gorbatschows Abgang als Präsident war ebenfalls äußerst ungewöhnlich. Nachdem die Russische Föderation unter der Führung von Boris Jelzin als erste Republik ihre Unabhängigkeit erlangt und aus der Sowjetunion ausgetreten war, wurde der einst so mächtige Mann zum Präsidenten eines Landes, das es nicht mehr gab. Er hätte damals noch die politische Führung an sich reißen und versuchen können, die Machtübergabe mit Gewalt zu verhindern. So hätten es die anderen Herrscher Russlands vor ihm getan. Doch Gorbatschow legte sein Amt nieder und ging als freier Mann.

Die vergangenen dreißig Jahre war er nur noch Rentner. Aber er machte als Rentner noch viel Blödsinn, zum Beispiel Werbung für Pizza Hut: Man sah ihn mit seiner Enkelin in einer Pizzeria in Moskau sitzen, wo er zeigte, was für großartige westliche Errungenschaften dank ihm nach Russland gekommen waren. Pizza Hut eben. Dabei hat er die Pizza gar nicht gegessen, er hat nur genickt. Diese

Werbung kam beim Volk nicht gut an. Viele Menschen in Russland hatten Schwierigkeiten mit der turbokapitalistischen Entwicklung ihrer Heimat und fühlten sich von dieser kollektiven westlichen Pizzeria ausgenommen und bedroht.

Aber noch schlimmer fanden die Russen Gorbatschows Werbung für Reisetaschen von Louis Vuitton. Auf unzähligen Fotos konnte man Gorbi mit diesen bodenlosen riesigen Taschen sehen. So als hätte er halb Russland darin eingepackt und wisse nun nicht, wohin mit so viel Gepäck. In der Wahrnehmung des Volkes waren es Frauentaschen. Die Vorstellung, ihr ehemaliger Präsident würde mit schrägem Lächeln im Gesicht und einer Frauentasche durch die Gegend fahren, machte die Menschen irre.

Ja, er hat Fehler gemacht. Und trotzdem war und bleibt Gorbatschow für mich der herausragende Politiker Russlands. Er traute sich etwas, auch als Rentner. Mit seinen neunzig Jahren wirkt Gorbatschow heute wie ein lebendes Beispiel für seine Nachfolger, die jetzigen und künftigen Herrscher Russlands. Als wolle er sagen:

»Leute! Hört auf, euch an die Macht zu klammern. Kommt raus aus dem Kreml! Es gibt ein Leben nach dem Amt. Man kann auch als Rentner glücklich sein und ein erfülltes, gesundes, spannendes Leben haben. Verschimmelt nicht in euren Sesseln, kommt raus an die frische Luft.«

Aber sie hören ihm nicht zu.

Der große Impfkrieg ist im Kommen

Auch ein guter Impfstoff kann in geübten Händen zu einer gefährlichen Waffe werden. Beim heutigen Stand der Waffenentwicklung war ein großer Krieg allerdings ausgeschlossen, unser kleiner Erdball war kein passendes Spielfeld für so viele Kanonen. Außerdem würde die Besetzung eines fremden Territoriums kaum Vorteile und jede Menge zusätzliche Kosten mit sich bringen. Deswegen wurden zur Lösung politischer Konflikte nun häufiger »humanitäre Waffen« benutzt. Ziel war es, den Gegner zu schwächen und ihn bloßzustellen, um dann später als einflussreicher Freund und Wohltäter aufzutreten und seine Hilfe anzubieten. Natürlich nicht umsonst. All die Embargos, Hackerangriffe und Sanktionen oder das Lenken der Flüchtlingsströme hatten sich in jüngster Zeit als moderne »humanitäre Waffen« erwiesen. Nun war der große Krieg der Impfstoffe im Anmarsch. In gewisser Weise war es sogar befreiend, dass nicht mehr mit Waffen, sondern mit Spritzen gekämpft wurde. Niemand musste mehr auf dem Schlachtfeld sterben, im Gegenteil: Die Gesundheit der Völker, ihre Immunität wurde durch diese modernen Kriege gestärkt.

Der russische Präsident war dem Westen als erfahrener Judokämpfer bekannt, die Welt hatte unzählige Fotos von ihm auf der Judomatte gesehen. Seine jungen, kräftigen Gegner, seine Sparringspartner gingen reihenweise wie Strohsäcke zu Boden, obwohl der Präsident sie nicht einmal angefasst, sondern eindeutig nachgegeben hatte. Das Hauptmotto dieser Kampfart lautete nicht umsonst: »Siegen durch Nachgeben«. Der Gegner soll sich durch ungeschicktes Handeln selbst Schaden zufügen bei minimalem Kraftaufwand seines Gegenübers. Judo ist hinterhältig. Wer zu schnell in Rage gerät, wird bestraft. In letzter Zeit hatte der russische Präsident begonnen, sich für verwandte Kampfarten zu interessieren. Eine davon hieß Arnis oder Kali und war auf den Philippinen zu Hause. Bei dieser Kampfart konnte jeder Gegenstand gefährlich sein und zur Waffe werden, es kam nur auf den richtigen Einsatz an. In diesem Sinn konnte man den Feind auch mit guter Medizin schwächen.

Die Lage auf dem Impfstoffweltmarkt war kompliziert. Angeblich hatte Amerika deutschen Firmen ihren großartigen Impfstoff komplett weggekauft. Die Amerikaner hatten einfach das Dreifache oder Vierfache bezahlt. Der Preis spiele keine Rolle, hatte der amerikanische Präsident gesagt: »America first! Wir werden so viele Dollars drucken wie nötig, bis der letzte Amerikaner geimpft ist. Dann schauen wir uns den Rest der Welt an.«

Das deutsche Kanzleramt hätte wie die Amerikaner handeln und sagen können: Wir zahlen noch mehr! Wir kaufen unseren eigenen Impfstoff, egal was er kostet, und verteilen ihn in Europa. Doch dafür hatten sie zu spät reagiert. Die Russen boten Europa und Deutschland Unterstützung an, ihr Impfstoff Sputnik V sollte gut sein und bei Weitem weniger kosten. Doch die Hand, die ihn verteilte, roch schlecht. In Deutschland brach eine Diskussion aus, ob man gutes Vakzin bei schlechten Menschen kaufen dürfe. War es ethisch vertretbar, mit gespaltener Zunge mit Russland zu reden? Die eine Zunge forderte die Freilassung der politischen Gefangenen, verurteilte die Annexion der Ukraine und die Unterstützung der Folterregime in Syrien und Belarus. Die andere Zunge küsste die Hand, die zu Spottpreisen Gas, Öl und gute Impfstoffe an uns verteilte.

Der Kampf der Impfstoffe war ausgebrochen nach dem Motto: Wer heute die Welt impft, wird sie morgen auch melken. Die europäische Zulassung von Sputnik V ließ noch auf sich warten, die Russen hatten nämlich voreilig die dritte Testphase übersprungen, weil sie unbedingt die Ersten sein wollten. Eine Vertreterin der Europäischen Kommission für die Zulassung von Impfstoffen wagte es deswegen, in einer Fernsehsendung das russische Vakzin als »russisches Roulette« zu bezeichnen. Man wisse nicht genau, was drin sei, warnte die Ärztin. Außerdem sei es verdächtig, meinte sie, dass die Russen ihren Impfstoff selbst kaum benutzten. Es sei nicht einmal ein Prozent der Bevölkerung geimpft, während man mit aller Macht versuche, das Zeug in die weite Welt zu verschicken. Fünfzig Millionen Dosen versprach das Land bis Juni allein nach Deutschland zu liefern. Wie sollte das gehen?

Die russische Führung reagierte empört. Das Außenministerium warnte vor einer Eskalation des Impfkrieges. Der Kremlsprecher forderte eine Entschuldigung der Zulassungskommission und wies den Roulette-Vergleich als unkorrekt zurück. »Russisches Roulette« bedeute eine potenziell tödliche Gefahr und könne als Verdacht aufgefasst werden, die Russische Föderation wolle den EU-Bürgern Schaden zufügen. »Dabei möchten wir die Europäer doch nur retten!«, betonte der Pressesprecher des Kremls. Die wahre Gefahr sei die Unfähigkeit der europäischen Regierungen, ihre Bürger vor dem todbringenden Virus zu schützen. Derartige Kommentare zu Sputnik V seien unpassend und untergrüben die Glaubwürdigkeit der Europäischen Zulassungskommission. Immerhin werde der russische Impfstoff bereits in 46 Ländern vermarktet. Die Europäer hätten das Recht auf eine unparteiliche und unpolitische Bewertung des Präparats, sagte der Kremlsprecher. Außerdem sei der Vergleich mathematisch nicht

korrekt. Beim russischen Roulette betrage die Wahrschein-
lichkeit, sich eine Kugel in den Kopf zu jagen, 16,7 Prozent, während Sputnik V eine Wirksamkeit von 91,6 Prozent habe.

Die ersten Länder, die das russische Vakzin nahmen, waren Kasachstan und die Republik Belarus. Es folgten die
risikofreudigen Staaten des afrikanischen Kontinents und
Lateinamerikas. Die unehelichen Kinder Europas, die Verschmähten und Ausgestoßenen, schlossen sich dem Rou-
lette-Spiel an: Serbien, Bosnien, Montenegro, Moldawien.

Die Frage der Verteilung der Impfstoffe wurde zur
Vertrauensfrage. Bereits im Januar hatte ein soziologi-
sches Institut eine große Untersuchung gestartet, bei der
die Einwohner von 17 Ländern befragt wurden, woher ihr
Impfstoff bevorzugt stammen sollte – sofern sie sich überhaupt impfen lassen würden. Deutschland kam auf Platz
eins. Anscheinend war deutsche Qualität überall auf der
Welt ein Markenzeichen des Landes. Nach Deutschland
wurden Kanada und Großbritannien genannt. Russland,
China und Iran waren die Schlusslichter in dieser Tabelle
des Vertrauens. Mexiko und Indien wären allerdings nicht
abgeneigt, sich mit Sputnik V impfen zu lassen. Besonders
große Abneigung dem russischen Impfstoff gegenüber
zeigten die Dänen. Je langweiliger das Land, desto weniger Risikobereitschaft zeigten seine Bürger.

Die amerikanische Regierung äußerte sich besorgt über

die Verbreitung von Sputnik V. Sie habe vier große Onlineplattformen enttarnt, die angeblich von russischer Seite manipuliert wurden, um in den sozialen Netzwerken Misstrauen und Angst vor den westlichen Impfstoffen zu verbreiten und gleichzeitig den in Russland produzierten Impfstoff in höchsten Tönen zu loben. Es wurden bereits Sputnik-Trips – Vakzinierungsreisen nach Russland – angeboten. Auf deren Werbeanzeigen sah man unseren Erdball, der wie ein Baby-Po aussah, dem eine fette Spritze in der Pobacke steckte, ziemlich genau da, wo sich der europäische Raum befinden würde. »Wir impfen die Welt«, lautete der Slogan.

Meine Schwiegermutter fand folgende Werbung für Sputnik-Trips im Internet: Eine Pilgerreise nach Moskau mit Übernachtung in einem teuren Hotel, einem Rundgang auf dem Roten Platz und einer Vakzinierung wurde angeboten. *All-inclusive.* Anschließend war sogar ein Besuch im Bolschoi-Theater möglich, der allerdings gegen Aufpreis. Dummerweise galt dieses Angebot nur für reiche ausländische Touristen, Amerikaner und Europäer, nicht für russische Rentnerinnen vom Land. Für die eigene Bevölkerung war der Impfstoff nur in geringen Mengen vorhanden. In der superreichen Stadt Moskau war es kein Problem, eine Dose Sputnik V zu bekommen. Außerhalb der Hauptstadt sah es nicht so rosig aus. Meine Schwiegermutter wohnt im Nordkaukasus auf einem Gelände der ehemaligen Kolchose »Aufstieg des Kommunismus«. Am Frauentag telefonierten wir, ich wollte wissen, wie die pandemische Situation vor Ort war.

»Es sind, Gott sei Dank, alle gesund, die nicht vorher gestorben sind«, meinte sie. Und selbst diejenigen, die letztes Jahr gestorben waren, hatten kein Corona gehabt. Zumindest hätten sie es nicht bemerkt.

Die Schwiegermutter achtet sehr auf ihre Gesundheit, sie besucht regelmäßig das Krankenhaus in der Kreisstadt. Ja, der Impfstoff Sputnik V sei vorhanden, hatte ihr die Ärztin versichert. Er werde bloß in großen Fläschchen geliefert, und deren Haltbarkeit sei begrenzt.

»Bilden Sie eine Gruppe aus mindestens zwanzig Personen impfbereiter Einheimischer, dann mache ich ein Fläschchen auf«, klärte sie meine Schwiegermutter auf.

Von diesem Problem hatte ich schon aus anderen Regionen gehört. Der Impfstoff wurde nach dem Ukas des Präsidenten in großen Mengen hergestellt, aber es fehlte noch immer an Ampullen. Daher wurde er mancherorts in großen Flaschen geliefert, sodass nur in Gruppen geimpft werden konnte.

»Zwanzig Impfwillige im ›Aufstieg des Kommunismus‹ zu finden ist aber ein Ding der Unmöglichkeit!«, erklärte mir die Schwiegermutter. »Bei uns leben ungefähr zweihundert Menschen, gefühlt sind es fünf, und alle Bewohner des ›Aufstiegs‹ sind äußerst misstrauisch dem Staat gegenüber. Sie sind von ganzem Herzen Impfverweigerer. Im Fernsehen wird nicht umsonst ständig über die schlechte Qualität westlicher Impfstoffe berichtet. Angeblich können die Menschen nach der Impfung mit diesem Zeug ihre Gesichtsmuskulatur nicht mehr bewegen, sie können nicht mehr weinen und lachen. Andere verlieren gleich nach der Vakzinierung kurz das Bewusstsein, und wenn sie wieder zu sich kommen, sind sie nicht mehr sie selbst. Der heimische Impfstoff wird in den Himmel gelobt, doch Hand aufs Herz, wenn schon die westlichen Stoffe so kläglich versagen, warum soll unserer dann besser sein?« So dachten die Aufstiegsbewohner, erzählte meine Schwiegermutter.

Und der russische Präsident, der viel und laut vom großen Sieg der russischen Medizin redete, hatte sich selbst noch gar nicht impfen lassen. Er sehe keine Notwendigkeit. »Na, dann sehen wir sie auch nicht. Such dir deine Blöden anderswo«, sagten die Aufstiegsbewohner unisono.

Auch die Bilder von leergefegten Moskauer Straßen verstörten. Wo waren denn all die glücklich geimpften Moskauer? Warum gingen sie nicht spazieren? Was war mit ihnen passiert, dass sie sich nicht mehr auf die Straße trauten? Und warum trugen die Polizisten noch immer Masken, wenn sie das Virus doch schon besiegt hatten?

Meine Schwiegermutter ist eigentlich auch eine Impfstoffverweigerin, sie will sich nichts vom Staat spritzen lassen. Andererseits will sie unbedingt den Impfpass bekommen, damit sie später, wenn sich die ganze Pandemie beruhigt hat, wieder nach Berlin reisen kann, um ihre Tochter und ihre Enkelkinder zu besuchen. In der Kreisstadt hingen Zettel in den Unterführungen mit dem Angebot, Interessenten einen echten Impfausweis zu besorgen, ohne dass sich die Leute tatsächlich etwas spritzen lassen müssten. Diese Angebote machten die Schwiegermutter ebenfalls misstrauisch. Es war unklar, ob die echten Ausweise aus der Unterführung für die Europäer echt genug sein würden.

Der Frühling brachte jede Woche neue Nachrichten von der Front. Sputnik ging in die Offensive. Die Lieferung nach Afrika war bereits unterwegs, Ecuador, Venezuela und Argentinien hatten sich ebenfalls für den russischen Stoff entschieden. Die Zulassung von Sputnik V in Europa durch die Arzneimittel-Agentur EMA wurde beschleunigt, unabhängig davon hatte sich schon halb Ungarn damit geimpft, und Italien wollte mit der Produktion von Sputnik V sofort beginnen. Die Tschechen überlegten, ebenfalls bei den Russen zu kaufen, und die Slowakei hatte es bereits getan. Die Russische Föderation hatte angeblich nicht einmal Geld dafür verlangt. Auf die Frage eines ukrainischen Journalisten, was die Slowakei dem russischen Partner als Gegenleistung für ihr Vakzin angeboten hatte, sagte der slowakische Premierminister, er habe Putin dafür die Süd-

karpaten versprochen. Die ukrainische Öffentlichkeit war
empört. Später stellte sich heraus, der slowakische Premierminister hatte sich einen Witz erlaubt, obwohl es für Dip-
lomaten verboten war, auf internationalem Parkett Witze
zu machen. Der Sinn für Humor ist bekanntermaßen in jeder Region verschieden. Als Nebenwirkung der Impfkam-
pagne bekam die Slowakei eine handfeste Regierungskrise.
Die Koalitionspartner waren nicht über den Kauf informiert worden, und die regierende Koalition brach zusammen. »Noch ein klarer Beweis für die Schwäche Europas
mit ihrer demokratischen liberalen Ordnung!«, jubelte die
russische Presse.

Die amerikanische Regierung zeigte sich über die Verbreitung des russischen Impfstoffes besonders besorgt, als
bekannt wurde, dass die Russische Föderation in ihren
Botschaften kostenlose Impfungen für alle russischen Bürgerinnen und Bürger anbot, die im Ausland lebten. Dabei war der Impfstoff im Westen noch immer nicht zugelassen. Eine Impfung auf dem Territorium der Botschaft
konnte die westliche Justiz jedoch nicht verhindern, denn
eine Botschaft ist exterritorial.

»Wo liegt das Problem, wir müssen doch alle dasselbe
Virus bekämpfen, da ist uns jedes Mittel recht«, meinten die Europäer. Die Europäische Arzneimittel-Agentur
EMA schätzte die Wirksamkeit des russischen Stoffes sehr
hoch ein. Schon wurden die Stimmen der europäischen

Politiker laut, die sagten, in Zeiten der Not sei jede Hilfe
Gold wert. Man müsse über Konflikte hinwegsehen und
die ausgestreckte Hand der Solidarität fester drücken.

Beide Seiten wollten so schnell wie möglich handeln.
Es ging dabei nicht nur um die Gesundheit der Europäer,
sondern auch um die zukünftige Reisefreiheit für Russen. Die könnten ohne Zulassung von Sputnik V künftig
nicht nach Europa reisen. Deswegen machten sich gerade
die Länder für Sputnik V stark, die auf russische Touristen zählten. Sollte der Impfstoff bald zugelassen werden,
würden auch russische Impfausweise in Europa anerkannt.
Während wir noch mit einem Fuß im Lockdown standen,
wurde draußen bereits die Welt von morgen aufgeteilt. Es
ging darum, wer in der Zukunft wohin reisen durfte und
wer zu Hause bleiben musste.

Die russische Propaganda war in diesem Krieg der
Impfstoffe ganz in ihrem Element. Sie produzierte eigene
Nachrichten am laufenden Band. Die Feinde Russlands
planten angeblich überall im Westen Provokationen. Mit
Schauspielern sollten Massenvergiftungen durch Sputnik V inszeniert werden, um den Impfstoff schlechtzuma-
chen, behaupteten die Kremlmedien. Wie damals zur Zeit
der Krim-Annexion konnten sie ihre Lieblingsgeschichte
wieder bedienen: Russland stehe ganz allein mit dem Rücken zur Wand einer feindlichen Welt gegenüber, die es
eigentlich nur retten wolle.

Der große Impfkrieg ist im Kommen

In den letzten zwanzig Jahren haben die staatstreuen russischen Medien auf dem Glatteis des Propagandakrieges gut zu tanzen gelernt. Sie wissen, dass niemand es bemerkt, wenn sie ausrutschen. »Europa geht unter«, schrieben die Regierungsmedien. »Es ist kein tragfähiges Konstrukt. Die aktuelle Pandemie zeigt, dass Europa komplett unfähig ist. Es kann seine Bürger weder beschützen noch ihnen eine Vision für die Zukunft geben. Der Untergang Europas, bereits vor hundert Jahren von den klügsten und weitsichtigsten Politikern, Dichtern, Philosophen, den besten Köpfen des Kontinents prophezeit, ist nun eingetreten. Europa, ein Kunstwesen, zeigte sich den Herausforderungen der neuen Zeit nicht gewachsen.«

»Ist bei euch denn alles in Ordnung?«, fragte die Schwiegermutter. Sie hatte regelmäßig mit russischen Medien Kontakt und machte sich dementsprechend unseres Untergangs wegen Sorgen.

»Alles in Ordnung«, beruhigten wir sie. »Es ist gerade sehr schön hier!«

Ich mag Untergänge. Sie sind angenehmer, vielfältiger und vollendeter als diese penetranten pickeligen Aufgänge, die beharrlich grundlos immer wieder den Horizont anzünden. Untergänge sind schön. Das untergehende Licht blendet nicht, es lebt und bleibt stets in Bewegung. Die untergehende Sonne hat eine klare Route, ein Ziel, während die aufgehende oft selbst nicht weiß, wo sie hinwill. Auch

Menschen werden an ihrem Lebensabend angenehmer und schöner. Ihre Augen strahlen Demut und Verständnis aus, sie bewegen sich ruhiger, und sie machen weniger Lärm. Der Abendmensch ist mir viel lieber als der frühe Vogel. Soll der sich doch an seinem Wurm verschlucken! So dachte ich beim Lesen der russischen und deutschen Zeitungen an einem Samstag. Es war der 13. März 2021.

Vor genau einem Jahr hatte der erste Lockdown begonnen und mich in Baden-Baden erwischt. Die Veranstaltung, meine Russendisko, war abgesagt worden. Auf dem Dach meines Hotels befand sich eine Bar, von der aus ich an diesem Abend die Welt betrachtete, statt Leute zu unterhalten. Der Sonnenuntergang vollzog sich in Baden-Baden sehr schnell, das Städtchen lag in einem von kleinen Bergen umzingelten Tal. Die Sonne streifte gerade noch die Promenade vor dem Kurhaus, und schon war sie weg. Ich saß auf dem Dach des Hotels, schaute der Sonne hinterher und überlegte, wie lange das nun so weitergehen würde? Wie lange könnte dieser Krieg gegen das Virus dauern? Einen, vielleicht zwei Monate? Im schlimmsten Fall werden es drei sein, nickte ich dem untergegangenen Stern hinterher.

Die Eier der Freiheit

»Der Kampf gegen Corona geht voran!«, titelten die Zeitungen kurz vor Ostern. Die Bundeskanzlerin wollte die Osterruhetage verlängern, am liebsten bis Ende des Jahres. Die Oppositionsparteien brachten sofort die Vertrauensfrage ins Gespräch. Die Kanzlerin musste um jeden zusätzlichen Ruhetag kämpfen. In Kassel kam die größte Querdenkerdemo zusammen, fast 20 000 Menschen protestierten gegen die Hygienevorschriften und bekamen Unterstützung von ganz oben: Die Volkssängerin Nena hatte ihre 99 Luftballons als Zeichen der Solidarität nach Kassel gelenkt. Sofort reagierte die Presse: »Ist Nena noch zu retten?«

»Ja, ja, es geht vorwärts!«, witzelte mein Nachbar, ein herzensguter Querdenker und Pessimist. »Wir gehen alle rasch voran, und zwar auf einer Rolltreppe, die nach unten fährt! Hast du vielleicht noch eine FFP2-Maske für mich übrig?«, fragte er. »Ich muss einkaufen gehen und habe meine alte nicht mehr gefunden.«

»Kopf hoch!«, sagte ich. »Bald ist die Pandemie zu

Ende, dann findest du in irgendeiner Jackentasche deinen schmutzigen, mit Rotwein bekleckerten Mund-Nasen-Schutz, den du seit Weihnachten getragen hast, und wirst nostalgisch lächeln!«

»Na klar«, konterte der Nachbar, »ich werde nostalgisch lächeln und meinen von der Bundesregierung vorgeschriebenen Astronautenanzug zurechtrücken.«

Ich hatte gerade einen Stapel frischer Masken zu Hause liegen, und wir gingen zusammen einkaufen. Immerhin hatte uns die Regierung gedroht, alle Geschäfte inklusive der Lebensmittelläden für die gesamten fünf Tage um Ostern zu schließen. Unterwegs versuchte ich, meinem Nachbarn ein wenig Optimismus einzutrichtern. Vergeblich. Ich konnte den Mann nicht von seiner Untergangslaune befreien. Ich glaube, er war krank geworden. Die Anzahl der Depressiven soll in der Bevölkerung enorm zugenommen haben, sodass es beinahe unmöglich war, einen Termin bei einem Psychotherapeuten zu ergattern. Alle waren ausgebucht. Dabei bemühte sich die deutsche Politik pausenlos um die Gesundheit ihrer Bürger. Aber je mehr sie sich bemühte, desto kränker sahen die Bürger aus.

Nach einer beispiellosen winterlichen Anstrengung zur Rettung des Landes, durchgehender Vakzinierung aller Risikogruppen und Stärkung des Gesundheitswesens hatte das Corona-Kabinett in seinen Frühlingsbeschlüssen zur Lage der Nation noch mehr Mut und Ehrgeiz gezeigt und dem Volk ein Licht am Ende des Tunnels entzündet. Schulen und Kitas öffneten wieder. Mallorca wurde der Status des Risikogebiets genommen. Der Einzelhandel durfte mit einem ausgeklügelten »Click & Meet«-Hygienekonzept wieder öffnen. Jeder Kunde sollte sich online einen Termin reservieren und pünktlich erscheinen, um dann eine halbe Stunde lang seine Shoppinggelüste zu befriedigen. Zu Ostern sollte das Zusammenkommen der Menschen erleichtert werden. Ab dem 22. März sollten bis zu fünfzig Personen in geschlossenen Räumen vorübergehend einen gemeinsamen Haushalt gründen dürfen mit vorzeitiger Terminvereinbarung und tagesaktuellem Antigentest.

Doch wie ein russisches Sprichwort sagt: »Wer zu viel hofft, der irrt sich oft.« Schon die »Click & Meet«-Idee erwies sich als absolutes Desaster. Menschen, die zu früh zu ihrem Einkaufstermin erschienen waren, standen vor den offenen Türen der leeren Geschäfte Schlange und starrten auf ihre Telefone. Sie warteten auf die elektronische Einladung zum Einkauf. Meine Mutter war in ein Bekleidungsgeschäft am Alex gegangen, um sich eine neue braune Jacke zu kaufen, weil ihre alte braune Jacke bereits Löcher in den Ärmeln hatte. Natürlich wollte sie am liebsten wieder genau die gleiche Jacke, aber leider änderte sich die Mode schneller als der Geschmack. Mama bekam am Eingang ein Signalgerät, das exakt nach dreißig Minuten zu blinken und zu piepen begann. Sie ging auf der Suche nach ihrer alten

Jacke durch die riesige Halle, es waren aber nur neue moderne Jacken da. Sie durfte nichts anprobieren und wurde buchstäblich durch das Geschäft gehetzt. Am Ende verließ sie völlig genervt, blinkend und piepend den Laden – mit zwei neuen braunen Jacken, die ihr beide zu klein waren. »Dieses ›Click & Meet‹-Konzept verführt zu falschen Einkäufen«, stellte sie fest. Nun brauchte sie einen neuen Onlinetermin, um die Sachen zurückzugeben. Doch daraus wurde nichts. Die Inzidenz stieg, die Regierung zuckte, zog wie eine Schnecke den Kopf ein und versteckte sich in ihrem Häuschen aus Vorschriften und Anordnungen. Der Lockdown wurde bis nach Ostern verlängert, die Geschäfte schlossen wieder, Ausgangssperren waren im Gespräch. Alle Touristen, die nach Malle geflogen waren, wurden als Lockdown-Verräter angeprangert und mussten nach ihrer Rückreise frisch getestet trotzdem in Quarantäne.

Die Regierungsschnecke hatte zwei Tage lang getagt. Laut Medien soll es die längste Sitzung gewesen sein, die deutsche Politiker jemals zustande gebracht hatten. Die Corona-Politik versuchte, sich neu zu erfinden, doch egal wie sie die Puzzleteile der Wirklichkeit zusammenlegte, es kam immer wieder dasselbe Wort heraus: Lockdown.

Solche Schnecken, die imstande waren, ihren kompletten Körper abzuwerfen und sich einen neuen wachsen zu lassen mit allen Organen, die sie zum Weiterschnecken brauchten, gab es nicht nur in exotischen Ländern, sondern auch bei uns in Brandenburg. Der Kopf lag dann irgendwo im Gras und generierte den Körper neu. Drei Tage brauchte er, bis ein neues Herz gewachsen war, und nach einer Woche war die neue Schnecke fertig. Sie sah exakt aus wie die alte, nur neu. Der alte Körper war übrigens auch nicht sofort tot, er kroch noch eine Weile im Gras herum. Aber auf Dauer machte ihm das Leben ohne Kopf keinen Spaß mehr, und er starb.

»Im September ist Bundestagswahl. Die deutsche Politik bekommt einen neuen Körper, aber ihr Kopf und sein Inhalt, die bleiben, da bin ich mir sicher«, sagte ich zum Nachbarn.

»Und wir bleiben im Arsch!«, folgte er mir.

»Das ist auch eine wichtige Herausforderung, dann müssen wir eben da die Stellung halten, wo uns das Schicksal hingeführt hat!«, sagte ich optimistisch. »Was ist schon der Kopf? Der Kopf macht weniger als fünf Prozent der gesamten Körperoberfläche aus, er ist mit dem Hintern zum Beispiel nicht zu vergleichen. Beide Teile haben wichtige Funktionen, aber niemand käme auf die Idee, vom Hintern zu verlangen, dass er wie der Kopf funktioniert oder umgekehrt. Sie sind verschieden, können aber in einer friedlichen Symbiose gut zusammenleben, um das Gesamtkunstwerk ›Mensch‹ nicht rot werden zu lassen angesichts der Schwierigkeiten, die mal mit dem Kopf und mal mit dem Hintern gemeistert werden müssen.«

»Du hast gut reden, du hast für alles das passende Wort! Aber pass auf, dieser Kopf ist nicht okay. Der wird uns noch alle in die Wüste schicken«, murmelte der Nachbar in seine neue Maske und verschwand hinter dem Weinregal.

Abends verlief ich mich zu Hause im endlosen Internet auf der Suche nach einem aktuellen Kulturangebot und landete eher ungewollt auf einer Onlinepremiere in der Volksbühne. Sie hatten die *Metamorphosen* von Ovid inszeniert, natürlich frech und schrill und tagesaktuell, wie es ein deutsches Theater gerne macht. Ovid hatten sie Covid genannt, und die Texte wurden in einem Ton vorgetragen, als hätte sie die Bundesregierung geschrieben. Wenn ich ehrlich war, mochte ich dieses Theater nicht, diesen grauen Traktor am Rosa-Luxemburg-Platz, der mich an meine sozialistische Heimat erinnerte. Die dunkelroten plüschigen Sessel, die immer gleichen versoffenen Typen, die aber von Jahr zu Jahr kein bisschen versoffener wurden. In der vorpandemischen Zeit hatte ich dort jedes Jahr zu Weihnachten eine Russendisko veranstaltet, für alle, die keine Lust auf fette Gänse und die eigene Verwandtschaft hatten. Alle Beleidigten und Abgehängten und auch die Versoffenen waren stets vollzählig erschienen – alleinstehende Kneipenwirte mit großbusigen Blondinen im Arm, einige Anhänger einer berühmten Berliner Motorradgang und die Führungskräfte der Partei Die Linke.

In Friedenszeiten hätte ich keine Lust gehabt, in dieses

Theater zu gehen. Jetzt aber, abends und nach den zahllosen Stunden des Zuhausesitzens, wurde ich nostalgisch.

Ach, wie gern würde ich jetzt in die Volksbühne gehen, mich in einen der plüschigen dunkelroten Sessel plumpsen lassen, den Versoffenen und Abgehängten die Hand schütteln, sie umarmen und ihnen wahrscheinlich sogar die Wange küssen.

Nichts da. Wir hatten Corona-Feiertage vor uns. Ostern stand vor der Tür.

»Wie unterscheiden sich die Ostertage in Russland und in Deutschland? Laufen die Russen auch dem Hasen hinterher?«, fragten mich meine Nachbarn in Berlin und wunderten sich, wenn ich ihnen erzählte, dass es in meiner Heimat gar keine Osterhasen gab. Es mochte verrückt klingen, stimmte aber. Russen hatten zwar auch bunte Ostereier, die wurden aber nicht von Hasen gebracht, sondern in eigener Produktion hergestellt. Tatsächlich hatten die Leute in meiner Kindheit trotz ihrer kommunistischen Erziehung Eier gefärbt und mit ihnen angestoßen. Der, dessen Ei als erstes kaputtging, hatte verloren. Sie haben auch Kuchen gebacken, keinen mageren deutschen Zupfkuchen, sondern richtig fett und süß musste er sein, eine Quarkspeise mit Rosinen drauf. An einen Hasen, geschweige denn an Jesus kann ich mich nicht erinnern. Ich glaube, die beiden gab es in der Sowjetunion gar nicht.

Auch Osterspaziergänge, dieses leichtsinnige Umherirren im Wald, lagen meinen Landsleuten nicht. Wenn sie spazieren gingen, dann verschwanden sie in der Regel für längere Zeit. Ein Nachbar in Moskau hatte zu Ostern nach einem Streit mit seiner Frau verkündet, er würde in der Wohnung keine Luft mehr bekommen und gehe jetzt mal spazieren, Zigaretten holen. Ein Jahr später rief er aus Sotschi an, wo er sich im Laufe seines Spazierganges eine neue Existenz und eine neue Familie aufgebaut hatte. Er sagte, er habe beschlossen, nicht zurückzukommen. Seine Frau wartete trotz dieser klaren Ansage noch viele Jahre auf ihn.

Das hiesige deutsche Ostern habe ich erst in Berlin kennengelernt, als meine Kinder in den Kindergarten »Freche Früchtchen« gingen. Die Erzieherinnen in unserem Kindergarten stammten mehrheitlich aus Sachsen, deswegen konnten uns die Kinder schon bald in perfektem sächsischem Dialekt die ganze Wahrheit über den Osterhasen erzählen, der jedes Jahr pünktlich zum Osterfest zwei Dutzend Überraschungseier versteckte, und zwar immer an der gleichen Stelle: auf dem Kinderspielplatz neben dem Eingang der Schrebergartenkolonie »Bornholmer Hütten«. Irgendwo dort in den Hütten sollte der Hase nach der Version der sächsischen Erzieherinnen zwischen den Osterfeiertagen überwintern, um jedes Jahr schnell zur rechten Zeit seine Geschenke auf dem Spielplatz zu verstecken.

Die Kinder glaubten das. Die Schrebergartenkolonie kam ihnen damals wie der Dschungel Amazoniens vor, voller wilder Hasen. In Wahrheit war diese Kolonie alles andere als ein Dschungel, nämlich ein Musterbeispiel deutschen Ordnungssinns und das letzte Bollwerk des Spießbürgertums in einer sich ständig wandelnden Welt. Man jagte die Mäuse mit Giftbeuteln und bestreute die Schnecken mit Salz, damit sie sich qualvoll auflösten. Einen Hasen, hätte er sich wirklich in der Schrebergartenkolonie verlaufen, hätte man sofort gefangen und zum Bier gegrillt. Aber wir wollten die Kinder nicht enttäuschen und verschwiegen ihnen die schlichte Wahrheit. Je länger die jungen Seelen vor den Belanglosigkeiten der Welt geschützt blieben, umso besser, dachten wir.

Die Kinder hatten keine Mühe, die Ostereier zu finden, schließlich waren sie mehrere Jahre lang tagein, tagaus auf denselben Spielplatz gegangen. Sie kannten alle infrage kommenden Verstecke im Umkreis von hundert Metern, einschließlich jener geheimen Baumhöhle, in der die Kiffer aus dem Gymnasium auf der gegenüberliegenden Straßenseite ihr Gras versteckten. Der Osterhase konnte sich anstrengen, wie er wollte, innerhalb von fünf Minuten waren alle Eier gefunden und gegessen.

In der Schule gerieten meine Kinder später in den katholischen Religionsunterricht. Ihre Mutter war nämlich der Meinung, sie müssten auch die harten Seiten des Lebens kennenlernen und ein wenig über Religion erfahren. Immerhin hatte das Christentum unsere europäische Gesellschaft stark beeinflusst. Und wenn man wissen wollte, warum unsere Mitmenschen manchmal so komisch drauf waren, musste man sich damit beschäftigen. Sie bestand auf einem katholischen Religionsunterricht für die Kinder, weil in ihren Augen der Katholizismus die richtige, ernst zu nehmende religiöse Religion war und nicht so larifari wie der Protestantismus. Der evangelische Pfarrer hatte selbst im Laufe eines Vorgespräches verkündet, dass er mit den Kindern nicht über Gott reden wolle, sondern nur über allgemein menschliche Werte: dass man seinen Nächsten achten und dessen Werte, wenn auch nicht teilen, dann doch zumindest tolerieren solle. Das gab es aber ganz ohne Religion auch bei dem Osterhasen. Das Fach Lebenskunde fand meine Frau ebenfalls zu lasch.

Also vertieften sich die Kinder in die Bibel und erfuhren eine alternative Ostergeschichte. Dort spielte der Hase gar keine Rolle. An seine Stelle trat Jesus mit der mitleiderregenden Geschichte seiner qualvollen Tötung und späteren Auferstehung mit abschließendem Verschwinden für zweitausend Jahre. Nun warteten wir noch immer auf seine Wiederkehr. Ein wenig erinnerte mich die Jesusgeschichte an das Schicksal des Moskauer Nachbarn, der spazieren ging und nicht zurückkam. Auch er hat sich nur einmal gemeldet und dann nie wieder.

Nach dem Hasen suchten die Kinder vergeblich in der Bibel. Die Katholiken wollten von ihm nichts wissen, sie hatten dementsprechend auch keine Eier im Angebot. »Ich bin nicht gekommen, um euch Eier zu bringen, sondern das Schwert, damit ihr euch mit euren Hausgenossen besser versteht«, hatte Jesus sinngemäß gesagt. Die bunten Überraschungseier haben dann die Lebenskundler gesammelt und gegessen, und die Protestanten spielten Pokémon.

Heute sind die Kinder längst erwachsen, und in Sachen Ostereier haben wir sowieso leichtes Spiel. Wir leben in Brandenburg auf dem Land mit Hühnern zusammen und wissen daher genau, wo man Eier suchen muss. Im Hühnerstall – wo sonst? Da kann uns der Hase nichts erzählen. Nach einer Abmachung mit dem Nachbarn dürfen seine Hühner auf unserem Grundstück herumlaufen. Dafür bekommen wir eine Packung Eier pro Woche umsonst, zu Ostern sogar drei. Dieses Jahr beklagte er sich allerdings, weil die Hühner kaum noch legten. Ob das an Corona lag oder an der allgemeinen Verwahrlosung der Welt? Jedenfalls war die ganze Hühner-Hierarchie durcheinandergekommen. Der alte weiße Hahn hatte den Winter nicht überlebt und war geschlachtet worden. Die zwei neuen Junghähne erwiesen sich dann als äußerst progressiv. Sie hatten anscheinend beschlossen, den ganzen Hühnerstall gendergerecht umzugestalten. In der alten Ordnung waren die Hühner dem Hahn hinterhergelaufen, der mit ihnen machen konnte, was er wollte. Doch die neuen Gockel hatten offenbar mit Vermehrung nichts im Sinn. Und die Hühner ignorierten sie ebenfalls weitgehend. Sie legten ihre Eier, wann und wo sie wollten. Die meisten taten sogar so, als würden sie an ihrer Existenz als Legehuhn zweifeln: Sie wollten mit der Eierproduktion nicht in Verbindung gebracht werden. Mein Nachbar nannte sie sexistisch »divers«. Diese diversen Hühner eroberten im Hühnerstall eine Extrastange für sich, sie wollten nicht neben den anderen sitzen. Doch ab und zu legten auch sie und wunderten sich dann, wie das hatte passieren können. Inzwischen hatten sich die beiden Gockel zusammengetan und liefen die ganze Zeit nur einander hinterher.

Unser Nachbar ist ein Mann der alten Ordnung, er kann mit dieser Diversität und all dem Genderfluid nichts anfangen.

»Alles fließt, überall!«, schimpfte er.

»Es wird schon irgendwann trocknen«, klärte ich ihn auf. Nicht umsonst hatte meine Tochter an der Uni Gender Studies belegt und mir ein Buch über das flüssige Geschlecht zum Lesen gegeben. Aus Solidarität mit der neuen gerechteren Welt sagte ich dem Nachbarn, ich würde zu Ostern gerne nur die Eier der diversen Hühner bekommen, auch wenn es weniger seien und es länger dauern würde. Dafür waren ihre Eier dann echte Eier der Freiheit.

Im Würgegriff der Supermutante

»Um wessen Tante geht es?«, fragte mich meine Mutter.
»Meinen die Frau Merkel? Das habe ich nicht verstanden.«
Mama bekam deutsche Nachrichten von einem Algorithmus, einer künstlichen Intelligenz, auf ihrem Computer
zusammengefasst. Wenn sie auf die falsche Taste drückte,
las ihr der Algorithmus die aktuellen Meldungen mit piep-
siger Stimme vor. Deutsches Fernsehen schaute sie kaum,
die hiesigen Nachrichtenprogramme waren für sie zu an-
strengend, außerdem seien sie reinste Panikmache. Allein
schon Bezeichnungen wie »Spezial« oder »Extrasendung«
machten deutlich, dass wir von einer Katastrophe in die
nächste schleuderten. Die Welt draußen barg endlos viele
Gefahren, jeder Tag konnte der letzte sein.

Zum Glück hatte Mama russische Fernsehprogramme.
Während in Deutschland die Betten auf den Intensiv-
stationen knapp zu werden drohten, hatte im russischen
Fernsehen Eiskunstlauf absolute Priorität. Junge Frauen
in kurzen Röcken kreiselten und kreiselten und kreiselten
so unablässig auf dem Eis, als fände die Eiskunstlaufwelt-

meisterschaft das ganz Jahr statt. Sie gewannen wohlverdient den ersten, den zweiten und den dritten Platz, und die ganze Welt war permanent grün vor Neid. Zwischendurch ließen sich die Eiskunstläuferinnen von freundlichen Krankenschwestern impfen und bekamen noch ein Eis gratis dazu.

Die russischen Nachrichten wirkten beruhigend. Nur ab und zu blätterte meine Mutter in ihrem Computer deutsche Schlagzeilen durch, um sich vom Eiskunstlauf abzulenken. Sofort kam irgendeine Warnmeldung über eine gefährliche Tante und sorgte für gereizte Stimmung.

»Diesmal ging es sogar um eine Supertante«, meinte die Mutter.

Ich schaute mir die Nachricht an. Die Schlagzeile des Tages lautete in Wahrheit *»Kanzleramt warnt vor der Supermutante«*, was meine Mutter als »Supertante« verstanden hatte. Angeblich sollte die Pandemie die natürliche Intelligenz unterdrücken und die Entwicklung der künstlichen Intelligenz, kurz KI, beschleunigen, weil die Menschen diese KI als Freund und Helfer immer dringender brauchten, wenn sie ihre Hauptlebenszeit zu Hause verbrachten.

Mein Nachbar, ein Freund des Fortschritts und begeisterter Technikfreak, hatte vor einiger Zeit einen Sprachassistenten in seine Wohnung gelassen. Er hatte ihn von seiner Frau zum Geburtstag geschenkt bekommen. An-

fänglich ging es nur um Kleinigkeiten. Darum, dass ihm
die künstliche Intelligenz das Fernsehprogramm referierte
und zum Frühstück seine Wunschmusik spielte. Inzwischen hat die KI bei diesem Nachbarn die Rolle der Bundesregierung übernommen. Sie kontrolliert seinen kompletten Tagesablauf, macht das Licht aus und an, wann
sie es für richtig hält, füttert die Fische im Aquarium, be-
antwortet seine E-Mails und schickt ihn zeitig ins Bett,
manchmal bereits am frühen Nachmittag, damit er seine
Tiefschlafphase nicht verpasst. Die braucht man nämlich,
um seine Hirnaktivität zu schonen. Seine Frau bereut das
Geschenk inzwischen und ist schlecht auf die KI zu sprechen. Früher hatte ihr Mann auf sie gehört, jetzt musste sie
ständig mit der KI konkurrieren.

»Ich hätte diese überschlaue KI niemals zu mir in die
Wohnung lassen dürfen. Jetzt bekomme ich täglich Post
von ihrem Cousin, dem künstlichen Idioten. Er hat anscheinend nichts von Corona mitbekommen und verschickt weiter aufregende Nachrichten, als wäre nichts gewesen: Einladungen von Reiseveranstaltern, die längst in
die Insolvenz gegangen sind, Aufrufe für Reisen, die es seit
über einem Jahr nicht mehr gibt, großartige Rabatte für
Hotels, die geschlossen sind. ›Ungewöhnliche Orte warten auf Sie!‹, schreibt mir der Idiot. ›Spannende Natur-
schauspiele und wahre Raritäten sorgen für beglückende
Momente.‹

Besonders viele verheißungsvolle Angebote bekomme
ich aus dem Reisebüro um die Ecke. Fast täglich gehe ich
an seinen geschlossenen Türen vorbei und versuche, durch
das große Schaufenster, das vollständig mit Werbeplaka-
ten für nichtexistierende und längst abgesagte Reisespäße
verklebt wurde, in das dunkle Innere des Zombieladens zu
spähen, in der Hoffnung, dort den reiselustigen künstlichen Idioten, der mir diese Einladungen schickt, einmal zu
Gesicht zu bekommen. Vielleicht kommt er auf eine Zigarette raus auf die Straße. Dann könnten wir uns von Angesicht zu Angesicht über Reisen in die Karibik unterhalten. Die sollen in diesem Jahr besonders günstig sein. ›Die
Inseln warten auf dich, greif schnell zu, sonst ist alles im
Nu ausgebucht!‹, schrieb er mir gestern.

›Mein lieber KI, ich muss dich leider enttäuschen‹, hätte
ich ihm gesagt. ›Es gibt keine Karibik mehr. Die Menschen
verweilen in Stille und Einsamkeit. Die Supertante hält die
Welt fest im Griff.‹«

Das neue schöne Wort fürs Reisen hieß auf einmal
»Glamping« – glamouröses Camping oder Zelten mit An-
spruch auf gut Deutsch. Am besten nicht weit weg von
zu Hause mit Taschenlampe und einer Rolle Klopapier im
virusfreien Wald, ein Traumurlaub für die ganze Familie.
Iglus, Scheunen und Bauwagen waren ebenfalls im Trend.

Natürlich konnte man auch in dieser pandemischen Welt
Reiseabenteuer finden, wenn man unbedingt wollte. Meine

Tochter verweilte mit einer Freundin drei Wochen in Bosnien. Der Bruder der Freundin hatte dort Kontakt zu einer deutsch-schweizerischen Hilfsorganisation, deren junge Volontäre halblegal versuchten, Menschen aus fernen Ländern auf ihrem steinigen Weg in die EU zu helfen. In einer bosnischen Kleinstadt an der Grenze zur EU hatten sich in einer verlassenen Streichholzfabrik Hunderte Paschtunen versammelt. Viele von ihnen hatten sich bereits 2016 über den Iran, die Türkei, Griechenland und Serbien auf den Weg ins Paradies gemacht, wobei sie den größten Teil der Strecke zu Fuß zurückgelegt hatten. Nicht alle hatten es bis nach Bosnien geschafft, einige waren in den Bergen des Iran erfroren, andere in der Türkei in Schwierigkeiten geraten oder in Griechenland im Knast gelandet.

Umso mehr leuchteten die Augen der übrig gebliebenen Paschtunen, wenn sie von ihrem Ziel sprachen, vom Garten Eden Deutschland. Kein anderes Land übte eine solche Anziehungskraft auf diese Menschen aus, kein Ort auf der Welt konnte mit Deutschland konkurrieren. Als Ausweichmöglichkeit konnten sie sich höchstens noch die Schweiz vorstellen, aber sehr ungern. Deswegen genossen die Mädchen aus Deutschland bei den Paschtunen besonderen Respekt. Sie wurden beinahe angebetet wie Engel, wie Gartengehilfinnen, die vom Gartenvorstand aus Eden gesandt worden waren, um ihnen auf ihrem Weg durch die Finsternis ein wenig Licht zu bringen. Die Volontärinnen wurden mit süßem Tee und Zigaretten verwöhnt und mit den kulinarischen Schätzen der paschtunischen Küche gefüttert, die hauptsächlich aus vegetarischen Eintöpfen bestand. Man sollte diese Gerichte nicht von einem Teller, sondern ganz romantisch aus einem großen, über dem Feuer hängenden Topf ohne Löffel und Gabel essen. Stattdessen benutzte man ein dünn gebackenes Fladenbrot, das zu einem Schäufelchen zusammengefaltet wurde.

Die europäische Jugend war begeistert. Die Essenszubereitung am offenen Feuer dauerte den ganzen Vormittag, am Nachmittag wurde lange und ausgiebig gegessen, und abends hörten sie alle zusammen Musik. Die Mädchen spielten die Songs vor, die Europa gerade begeisterten, die Geflüchteten pakistanische Hits. Wenn die Paschtunen gerade nicht kochten, nicht aßen und keine Lust auf Musik hatten, spielten sie Volleyball auf dem Hof oder starrten auf ihre Smartphones. Sie telefonierten laufend mit ihren Heimatdörfern, weil ihre Verwandten wissen wollten, wie erfolgreich ihre Wanderung bisher verlaufen war. Und alle warteten auf »The Game«, so nannten sie die bevorstehende Überquerung der EU-Grenze. Einige von ihnen hatten es schon mehrmals versucht. Sie waren mit Rucksack und Smartphone losgezogen, von der kroatischen Polizei aufgehalten und ohne ihre Sachen wieder zurückgeschickt worden. Wieder in der Streichholzfabrik angekommen, bekamen sie von der Hilfsorganisation neue

Rucksäcke und neue Telefone und warteten auf die nächste Gelegenheit. Bald sollte der Schnee tauen, dann würde die Grenzpolizei ihre Spuren in den Wäldern nicht so schnell finden können, und »The Game« konnte erneut beginnen. Meine Tochter sorgte sich ein wenig, dass die Paschtunen von Deutschland möglicherweise enttäuscht werden könnten: »Was ist, wenn sie feststellen, dass ihr Garten Eden in Wahrheit nur ein spießiger Schrebergarten ist und außer Vorschriften und Formularen nichts zu bieten hat? Man darf in Deutschland nicht einmal nachts laut Musik hören, sofort rufen die Nachbarn die Polizei. Und man darf nicht ohne schriftliche Genehmigung köstliche Eintopfgerichte über offenem Feuer kochen.«

Vergeblich versuchten die Mädchen den Paschtunen zu erklären, dass Deutschland überhaupt nicht der Reise wert war. Die Geflüchteten wollten nichts davon hören. Wir Menschen sind Traumtänzer. Unsere Träume sind uns wichtiger als jede Realität, nur sie halten uns auf den Beinen. Die Paschtunen dachten, sie wüssten über Deutschland besser Bescheid als die Deutschen. In gewisser Weise hatten sie damit recht, denn das Paradies ist nur aus der Hölle erkennbar.

»Wie seltsam«, schrieb mir meine Tochter. »Ich mit meinem EU-Pass wünschte mir nichts sehnlicher, als Deutschland zu verlassen, um den Menschen zu helfen, die unbedingt dorthin wollen.«

Woche für Woche scheiterten die Paschtunen am Grenzübertritt. Ein Junge war sechs Tage lang unterwegs gewesen, und alle in der Fabrik dachten, er hätte es geschafft. Doch dann kam auch er zurück, völlig fertig und abgemagert. Aber die Menschen blieben optimistisch. Irgendwann wird es schon klappen, dachten die Paschtunen. In ihrer Situation war man auf Optimismus angewiesen.

Anfangs hatte meine Tochter Angst, in Gesellschaft der obdachlosen Geflüchteten am Feuer zu sitzen. Immer wieder griff sie in die Tasche, um zu prüfen, ob ihre Geldbörse und ihre Papiere noch da waren. Doch die Menschen am Feuer strahlten eine solche Gastfreundlichkeit aus, sie waren so jung, so naiv, nett und lustig drauf, dass bald jegliche Angst verschwand. Mehrmals wollten die Mädchen für die Paschtunen kochen, ihnen zum Beispiel die paradiesische deutsche Küche beibringen, damit sie wüssten, worauf sie sich einlassen müssten. Doch die Paschtunen ließen nicht zu, dass ihre Gäste für sie kochten. Außerdem wussten sie es besser: Sie wussten, deutsche Eintöpfe waren die leckersten der Welt, noch besser als ihre eigenen.

Im April wurde es warm, der Schnee taute, und die Polizei konnte keine Spuren im Wald mehr finden. Die Paschtunen gingen nun aufs Ganze und verließen alle zusammen die Fabrik. Ohne sie wurde es in Bosnien langweilig, und die Mädchen beschlossen, wieder nach Hause zu fahren. Auf dem Weg nach Zagreb mussten sie in einem Nicht-

EU-Kleinbus der Polizei alle zwanzig Minuten ihre Pässe vorzeigen. Sie legten die Pässe in ihre Tasche hinter dem Vordersitz und vergaßen sie dort auf einer kleinen Raststätte beim Umsteigen in einen EU-Bus. Als der Busfahrer mitbekam, dass sie ihre Zauberpässe nicht mehr dabeihatten, fuhr er ohne die Mädchen los. Die blieben auf der Raststätte stehen und fühlten sich auf einmal wie die Paschtunen. Später berichtete mir die Tochter, sie habe auf dieser Raststätte zum ersten Mal Sehnsucht nach Deutschland verspürt.

Zum Glück stellte sich heraus, dass sie bereits in der EU waren, also alles halb so schlimm war. Die Freundin telefonierte mit einem ihr bekannten Arzt aus der Jesuitengemeinde in Zagreb, der ebenfalls bei der Flüchtlingshilfe in Bosnien tätig war und die Paschtunen verarztete. Er machte sich auf den Weg und holte die Mädchen von der Raststätte ab. Der Arzt organisierte für sie eine Übernachtung in einem Jesuitenkloster inklusive Mahlzeit sowie einen Rundgang durch Zagreb. Die Tochter berichtete von zerstörten Kirchen und kaputten Häusern: »Zagreb war im März 2020 von einem ungewöhnlich starken Erdbeben erschüttert worden, und wir mit unserem blöden Corona haben nichts davon mitbekommen.« Am nächsten Tag fuhren die Mädchen mit dem Bus von Zagreb nach München und von dort mit dem Zug weiter nach Berlin.

Angesichts der realen Schwierigkeiten des Lebens erschien die Pandemie von Osteuropa aus betrachtet wie ein kleiner Spaß für verwöhnte Europäer. Man könne den Eindruck gewinnen, unterhalb der Armutsgrenze gäbe es Corona gar nicht, meinte meine Tochter Nicole abschließend. Sie hatte in den vergangenen Wochen gefühlt mehr Hände geschüttet als in ihrem ganzen vorherigen Leben. Wieder in Berlin angekommen, vermisste sie die Herzlichkeit der Paschtunen und die Abende am Feuer. Vielleicht würden sie es schaffen, vielleicht kämen sie doch bis Berlin. Immer wieder schaute sie auf ihr Telefon, aber die Nachrichten aus Bosnien sahen nicht gut aus. Alle Paschtunen waren verhaftet und zurück in die Fabrik geschickt worden.

Die deutsche Hauptstadt schwankte währenddessen gerade in einer neuen Unentschlossenheit: Sollte der alte Lockdown verlängert oder ein neuer verhängt werden? Den meisten Bürgern war das egal, sie hatten sich an das Leben im Dauerlockdown gewöhnt. Doch angesichts der neuen Gefahr suchte die Regierung auch nach einem neuen spritzigen Titel für ihre Maßnahmen: Ein Brückenlockdown, ein Bundeslockdown und ein Haku (hart, aber kurz) waren im Gespräch. Im Großen und Ganzen blieb jedoch alles beim Alten, nur sollte sich ab sofort jeder Bürger vor jedem Friseurbesuch testen.

Nicoles Bruder Sebastian hatte sich bislang hartnäckig geweigert, während der Pandemie zum Friseur zu gehen, nun schon ein ganzes Jahr lang. Als Optimist von Gottes Gnaden setzte er darauf, dass dieses Virus eine vorübergehende Erscheinung war und bald wieder verschwand. Außerdem hatte sein launischer Lieblingsfriseur Wolf Hase, der bei seiner Arbeit Musik von Schubert bevorzugte, die meiste Zeit geschlossen. Nachdem ihm seine Haare aber inzwischen beim Fahrradfahren und Suppeessen die Sicht versperrten, überlegte er es sich doch anders. Wolf Hase hatte gerade ausnahmsweise geöffnet und wäre unter Umständen bereit, einem frisch getesteten Maskenträger die Haare zu schneiden.

»Du hast doch einen Test übrig?«, fragte mich mein Sohn. »Gib ihn mir bitte für den Friseur. Hase darf ohne Test nicht schneiden.«

Ich hatte tatsächlich nach meinem letzten Fernsehauftritt ein paar Schnelltests vom »medizinischen Personal« geschenkt bekommen. Ich sollte vor dem Auftritt zu Hause getestet werden, und der Sender hatte mich telefonisch vorgewarnt, »das medizinische Personal« werde mich besuchen kommen. Gemäß den Hygienevorschriften der Fernsehredaktion sollte das Testen in meinem Badezimmer stattfinden. Mein Badezimmer ist klein und dient teilweise als Katzenklo. Ich wusste nicht, wie viele Personen zum medizinischen Personal zählten, und sorgte mich ein bisschen, ob wir alle ins Bad passen würden und was die Katze davon hielte.

Doch das Personal erwies sich als eine einzige Person, eine nette Dame, die wenig Deutsch sprach und hauptberuflich als Schnelltesterin Hausbesuche machte. Sie holte einen zusammengefalteten Astronautenanzug aus der Tasche, zog sich in der Küche um, nahm die Testutensilien und sagte, sie sei bereit. Wir gingen ins Bad, sie drehte mir ein Stäbchen in die Nase und erzählte, ich sei heute ihr letzter Patient, sie habe aber noch zwei ungebrauchte Tests und könne sie mir für später dalassen.

»Erzählen Sie das aber bloß nicht dem Sender. Falls die nachfragen, sagen Sie, ich hätte Ihnen alle drei Stäbchen in die Nase gebohrt«, bat sie mich.

Gleich am nächsten Tag wurde das Testen zur Bedingung für das Einkaufen, den Friseurtermin und den Schulbesuch. Ich musste jedoch weder zur Schule noch zum Friseur. Also teilte ich die Schätze mit meinem Sohn und versprach, ihm beim Schnelltesten zu helfen. Es war bloß unklar, ob wir den Test zu Hause durchführen, uns dabei filmen und das Video zum Friseur schicken sollten oder uns direkt vor Ort das Stäbchen in die Nase schieben mussten. Sebastian überlegte kurz und wählte die zweite Variante, sie schien ihm sicherer. Wolf legte ihm ein Tuch aufs Fensterbrett. Sebastian testete sich selbst zu Schuberts »Schwanengesang«, durfte aber dann trotz negativen Testergebnisses die Maske nicht absetzen.

Wolf schnitt ihm die Haare kurz. Dabei erzählte er, er

sei bereits geimpft worden, Friseure hätten nämlich wie
Pflegepersonal wegen ihrer Systemrelevanz eine priori-
sierte Impfung erhalten.

»Ich wünschte mir natürlich«, sagte Wolf, »dass bei uns
wie bei den Russen kreuz und quer durch die Gesellschaft
geimpft würde. Es gibt nämlich gerade hier in Berlin sehr
viele Menschen, die gar nichts tun, nicht einmal eine Rente
beziehen, also komplett systemirrelevant sind. So wie ihr.«

In gewisser Weise hatte er recht, doch auch aus Russland
bekam ich nur böse Nachrichten zu Ostern. Trotz der an-
gebotenen Impfungen und offiziell sinkenden Fallzahlen
war meine ganze Verwandtschaft in Moskau zum zweiten
Mal an Corona erkrankt. Schuld daran war angeblich die
südafrikanische Mutante, die gegen Sputnik immun war.
Meine Cousine erfuhr im April in der Arbeit, dass zwei
ihrer Kollegen krankgeschrieben waren. Auf einmal merkte
sie, dass sie den Kaffee nicht riechen konnte, gleichzeitig
hatte sie ein komisches Kribbeln im Bauch und im Hals.
Sie desinfizierte ihr Büro, die Kaffeetasse, das Telefon, den
Tisch und die Türklinke, schloss alles ab, fuhr nach Hause
und rief ihre Ärztin an.

Die kam noch am selben Tag, testete auch den Mann
und den Sohn meiner Cousine, und alle waren positiv. Sie
bekamen von der Ärztin die neue russische App zum sozialen Monitoring auf ihre Telefone installiert. Sie mussten sich am Küchenfenster mit Ausblick auf die Bushal-

testelle vor ihrem Haus filmen und das Video unter »Ihr Zuhause« speichern. Alle drei bis vier Stunden meldete sich nun die App des sozialen Monitorings und forderte eine Bestätigung des Aufenthaltsorts, wobei sich die Familie vor demselben Fenster in der Küche zeigen musste. Für das Nichteinhalten der Quarantäne drohte eine Strafe von 5000 Rubel.

Das Programm war auf fünfzehn Tage beschränkt, denn die Mediziner hatten herausgefunden, dass diese neue Corona-Variante höchstens zwei Wochen krank machte. Nach zwölf Tagen sollte der Arzt noch einmal vorbeikommen und alle testen.

Das Überwachungssystem funktionierte einwandfrei, nur nachts, zwischen 23.00 Uhr und 9.00 Uhr früh, ging die künstliche Intelligenz schlafen. Also konnte die Familie rein theoretisch nachts in der Stadt spazieren oder einkaufen gehen, denn in Moskau haben viele Lebensmittelgeschäfte nachts geöffnet. Meine Cousine hat nichts davon getan, sie nahm ihren Hausarrest als notwendiges Übel sehr ernst.

Mir gegenüber beklagte sie sich allerdings am Telefon, das Virus greife eindeutig auch das Nervensystem an. Ihr werde täglich kurz vor dem Schlafengehen übel, und nachts habe sie Albträume. Neulich habe sie geträumt, die Bushaltestelle vor dem Haus sei über Nacht verschwunden. Die Familie wollte wie in den Tagen davor nach dem Frühstück ein Gruppenfoto am Fenster machen, aber auf einmal war die Bushaltestelle nicht mehr da. Prompt erkannte die App »Ihr Zuhause« nicht mehr.

»Wo sind Sie?«, fragte die künstliche Intelligenz. »Wo befinden Sie sich?«

»Ich bin zu Hause«, versicherte meine Cousine wahrheitsgemäß. »Wir sind alle zu Hause in der Küche.«

»Das ist nicht Ihr Zuhause«, antwortete die künstliche Intelligenz. »Wo befinden Sie sich?«

Wie kann ich beweisen, dass ich zu Hause bin, überlegte meine Cousine fieberhaft im Schlaf. Sie filmte ihre Möbel, ihre Katze und ihren Fernseher, doch die App gab sich mit den Bildern nicht zufrieden. Katzen, Möbel und Fernseher sahen überall gleich aus. Gegen Morgen bekam sie 5000 Rubel Strafe aufgebrummt und wachte auf.

»Diese südafrikanische Mutante ist echt der Hammer«, meinte die Cousine.

Ich hatte in Berlin auch ohne Mutante komische Träume, obwohl durch medizinisches Personal mehrmals negativ getestet und symptomfrei. Einmal träumte ich, am Ausgang der dritten Welle würde die Bundesregierung in einer Extrasitzung eine Zensur einführen. Bestimmte Worte und Redewendungen durften von nun an in der Öffentlichkeit nicht mehr ausgesprochen werden, um die gereizte Stimmung in der Bevölkerung nicht unnötig anzuheizen. Vor allem die Worte »Corona« und »Pandemie«

wurden dem Sprachgebrauch entzogen. Meine Verlegerin rief mich im Traum an und flüsterte, ich solle schnell in meinem neuen Buch alle verbotenen Begriffe durch irgendetwas anderes Nettes ersetzen, vor allem die Wörter wie »Corona« und »Pandemie«. Ich stöhnte. Da müsste ich ja jedes zweite Wort austauschen, allein der Begriff »Corona« kam bisher 237 Mal im Manuskript vor.

»Du bist doch Russe«, meinte die Verlegerin. »Dir wird schon etwas einfallen. Schreib statt ›Corona‹ doch einfach ›Matrjoschka‹.«

Die erste Impfung

Deutschland. Wohin trieb dieses Boot? Die Segel waren gesetzt, doch der Wind kam von allen Seiten. Die Mannschaft gab sich Mühe, aber die Befehle der Steuerleute verwirrten, es waren zu viele auf einmal. Stiegen wir ein oder aus? Machten wir halt, oder fuhren wir los? Das Boot drehte sich ohne erkennbaren Sinn. Die Strömung wurde stärker. Und immer wieder fielen ein paar verpeilte Passagiere über Bord. Die berühmte deutsche Ordnung, die mal als Tugend, mal als komische Macke überall auf der Welt gelobt oder verschmäht wurde, stand vor einer einmaligen Herausforderung. Der deutsche Verwaltungsapparat, der sehr erfolgreich den Fahrradverkehr regelte, Ausweise, Gesundheitspässe, Parkplaketten ausstellte und Strafzettel fürs Falschparken verteilte, musste die Pandemie verwalten und die Bürger vor dem Angriff der unsichtbaren kleinen Viren schützen, die diese Bürger auch noch selbst produzierten und einander übertrugen. Wie die überhitzte künstliche Intelligenz Skynet aus dem Film *Terminator* versuchte die Verwaltung, die Menschen vor sich selbst zu schützen, indem sie ebendiese Menschen als größte Gefahr einstufte und zu Hause einsperrte. Zu diesem Zweck produzierte der Verwaltungsapparat Anweisungen am laufenden Band.

Ende April trat in Berlin die »Fünfte Verordnung zur Änderung der Zweiten SARS-CoV-2-Infektionsschutzmaßnahmenverordnung« in Kraft – als logische Fortsetzung nach Inkrafttreten des »Vierten Gesetzes zum Schutz der Bevölkerung bei einer epidemischen Lage von nationaler Tragweite«, im Volksmund »Bundesnotbremse« genannt. Die Bundesnotbremse sollte dafür sorgen, dass überall im Land, im Süden wie im Norden, dieselben Gesetze galten. Für Berlin kam sie ziemlich unerwartet, die Bürger hatten eigentlich mit den vorher versprochenen Frühlingslockerungen gerechnet. Nun weiß jeder Autofahrer, was passiert, wenn man in der Kurve bremst: Das Auto kann die Straße plötzlich verlassen.

Ein wichtiger Bestandteil der Bundesnotbremse war die nächtliche Ausgangssperre. Man durfte das Haus weder mit dem Auto noch zu Fuß nach 22.00 Uhr verlassen. Meine erwachsenen Kinder, die mit ihren Freunden eigentlich fast nur nachts unterwegs waren und öfter abends zum Essen, Fernsehen oder Schachspielen bei mir vorbeikamen, hatten Angst vor ihrem Heimweg. Was würde passieren, wenn sie angehalten wurden? Würde man von den Ordnungskräften freundlich darauf hingewiesen, schnell nach Hause zu gehen? Würde man abgeholt, verhaftet, zu einer Geldstrafe verurteilt, ausgebürgert? Niemand wusste es genau.

Am ersten Tag nach Inkrafttreten der Bundesnotbremse saß meine Tochter Nicole bei ihrer Freundin in Friedrichshain. Die beiden bereiteten sich zusammen auf das Onlineseminar »Biopolitik und Neoliberalismus« vor und schauten gleichzeitig *Wer wird Millionär?*. In der Pandemie bekamen die uralten deutschen Fernsehformate auf einmal einen Aufmerksamkeitsschub, besonders von der jüngeren Generation. Viele Studierende fühlten sich wie Rentner und fingen wegen der fehlenden sozialen Kontakte an, mit dem Fernseher zu reden.

»Man sollte diese Sendung umbenennen in ›Warum bin ich noch immer nicht Millionär?‹«, schimpfte meine Tochter, die alle richtigen Antworten natürlich sofort wusste oder schnell gegoogelt hatte. Wie immer kamen gegen Ende der Sendung die schwierigsten Fragen, und die Kandidaten gaben immer blödere Antworten, je reicher sie wurden. »Reichtum verblödet!«, stellte Nicole fest. Sie und ihre Freundin ärgerten sich unsäglich über die bildungsfernen Schichten im deutschen Fernsehen, die nicht einmal wussten, dass Saiga-Antilopen lange Nasen und keine breiten Hüften hatten und was Franz Josef Strauß mit Pumuckl verband. Plötzlich war das Programm zu Ende, und die Uhr an der Wand zeigte halb zwölf. »Wie komme ich jetzt nach Hause?«, überlegte meine Tochter und rief ihren

Bruder Sebastian an. Der war nämlich um die Zeit ebenfalls auswärts unterwegs.

Sebastian hatte am selben Abend einen Freund in Moabit besucht, der dort im vietnamesischen Restaurant seiner Mutter als Koch und Kellner arbeitete. Vor der Pandemie hatte die Mutter Angestellte, Köche und Kellner, sie hatte sogar eine Zeit lang eine externe Putzkraft. Doch wegen der Pandemie mussten alle entlassen werden, und das Restaurant bot nur noch Gerichte zum Mitnehmen an. Der Sohn hatte keine Wahl, er stellte sich selbst an den Küchenherd und kochte ohne Lohn, damit sich Mutters Restaurant über Wasser hielt. Es lief mehr schlecht als recht, vor allem konnte man in Moabit nie vorher abschätzen, wie viele Hungrige kommen würden. An manchen Tagen waren viele da, dann plötzlich überhaupt keine. An solchen schlechten Tagen musste der Koch möglichst viel selbst aufessen, damit das Zubereitete nicht schlecht wurde. In der Regel rief er dann bei Sebastian an und bat ihn um Hilfe. Mein Sohn ist ein äußerst empathischer und verlässlicher Mensch, er würde für seine Freunde alles tun. Natürlich konnte er den Koch in einer solchen Notlage nicht allein lassen.

Am Tag der Einführung der Bundesnotbremse hatten die beiden besonders viel in der Küche zu tun, jede Menge Suppen und Salate mussten gegessen werden. Als seine Schwester anrief, war Sebastian noch mit vegetarischen

Wan Tans beschäftigt, und es dauerte eine Weile, bis er realisierte, dass er nun gegen die Ausgangssperre verstoßen hatte und am besten sofort mit vollem Magen durch die Büsche von Moabit nach Wedding laufen sollte. Die Geschwister beschlossen, während des gefährlichen Nachhausewegs in Kontakt zu bleiben, und ließen ihre Telefone an, um sich gegenseitig zu helfen.

»Erzähl mir was, Sebastian«, sagte Nicole, »sei nicht einfach still.« Aber Sebastian war zu voll mit Wan Tans, um Geschichten zu erzählen.

»Sag lieber du etwas. Hab keine Angst, erzähl mir einfach, was du siehst«, beruhigte Sebastian seine Schwester, während er durch die dunklen Gassen Moabits lief.

Nicole ging in Friedrichshain zur nächsten S-Bahn-Station, denn die S-Bahn fuhr weiter nach Fahrplan, um die systemrelevanten Menschen, Krankenschwestern und Polizisten zu befördern. Mit großem Erstaunen stellte Nicole fest, dass ihre S-Bahn voll war und das nicht nur mit systemrelevanten Fahrgästen. Überall wimmelte es von Ordnungshütern und verwahrlosten Bürgern, die sich allem Anschein nach völlig aufgegeben hatten.

»Kommt her, ihr blöden Viren! Ich bin da und scheiß auf euch!«, schrie ein älterer Mann mit langen Haaren. Zwei Frauen lachten im Sitzen. Niemand trug eine Maske. Waren es Corona-Leugner, Querdenker von der vor zwei Monaten aufgelösten Demo, die sich verlaufen und sich eine neue Existenz in der Berliner S-Bahn aufgebaut hatten? Viele schimpften oder spuckten den Ordnungshütern hinterher, die sie freundlich aufforderten, sich schnell in Richtung ihres Zuhauses zu bewegen.

»Ich habe kein Zuhause! Ich habe keine Heimat! Ihr habt mir mein Zuhause gestohlen! Mein schönes Deutschland geklaut!«, schrie der langhaarige Fahrgast. Ein anderer musste sich übergeben und stellte fest, dass seine FFP2-Maske als Kotztüte völlig ungeeignet war.

»Und du? Was siehst du?«, fragte Nicole ihren Bruder am Telefon.

»Ich sehe gar nichts«, antwortete er. »Hier ist alles wie ausgestorben. Kein Auto auf der Straße, kein Mensch weit und breit. Nicht einmal die Straßenlaternen leuchten.«

Es schien, als wären die beiden Kinder in verschiedenen Städten unterwegs, auf unterschiedlichen Planeten gar, so groß waren die Unterschiede in Teilen Berlins, wo jeder Bezirk seine eigene Geschichte hat. In Prenzlauer Berg angekommen, erzählte Nicole, ihr sei gerade eine Fuchsfamilie über den Weg gelaufen. Ich kannte den alten Fuchs vom Jahn-Stadion auch, hatte jedoch nicht gewusst, dass er Vater geworden war. Anscheinend förderte die Pandemie die Fuchsvermehrung. Die Tiere nutzten die Ausgangssperre, um angstfrei durch die Straßen zu streunen und sich Proviant zu beschaffen.

Am nächsten Tag wollten die Kinder zum Füttern vorbeikommen, und ich setzte mich in der Nacht noch an den Computer, um herauszufinden, was von all den Informationen zur Ausgangssperre nun stimmte und was nicht. Die Angaben waren verwirrend und unlogisch. Angeblich waren Bußgeldverfahren nicht möglich, weil der Sperre dafür die rechtliche Grundlage fehlte. Trotzdem sollte man sie einhalten und ernst nehmen, denn sie nicht zu befolgen würde als Ordnungswidrigkeit eingestuft, sagten meine Informationen. Seit Beginn der Pandemie hatte ich eine ständig wachsende Zahl von Nachrichtendiensten abonniert, die mich täglich mit widersprüchlichen Aussagen versorgten. Es mag aus heutiger Sicht wie ein schlechter Witz klingen, aber das Internet war einst erfunden worden, um Zeit zu sparen. Von nun an mussten die Menschen nicht mehr jeden Morgen zum Zeitungskiosk rennen, um zu erfahren, was in der Welt los war. Inzwischen will gar keiner mehr wissen, was in der Welt los ist, man kommt aber nicht drum herum.

Auch ich verbrachte immer mehr Zeit am Computer, weil es schon den halben Tag dauerte, bis ich alle Nachrichten vom Vortag durchhatte. Und dann kamen schon neue. Medienwissenschaftler nannten es »soziale Weitsichtigkeit«, wenn Menschen ihr Erlebtes zugunsten von Gelesenem vernachlässigten. Man deutete das als Nebenwirkung der Pandemie. Fehlende soziale Kontakte wurden durch digitale Nachrichten aus aller Welt ersetzt, und so kam es, dass die Bürger mehr Zeit mit dem amerikanischen Präsidenten, dem Deutschen Bundestag, mit William und Kate, dem Wendler und Laura und anderen nicht real existierenden Akteuren der Onlinewelt verbrachten als mit ihren Freunden und ihrer Familie. Sie litten mit Günther Jauch und vergaßen, ihren eigenen Hund Gassi zu führen.

Früher bekam ich viele wichtige Infos von Auftraggebern und Arbeitskollegen. Diese Zeiten waren längst vorbei. Seit Beginn der Pandemie waren Nachrichten und Spam meine Hauptinformationsmahlzeiten geworden. »Bist Du bereit für neue Abenteuer? Klassische Musik und Sachertorte: Kunst, Leben und Schokolade warten auf Dich!«, spamte mich ein durchgeknallter Algorithmus mit Angeboten für eine Last-Minute-Reise nach Wien an. Klassische Musik und Schokolade? Draußen bellten die Füchse, und Polizeistreifen fuhren vorbei. Sie warteten nur darauf, dass ich das Haus verließ. Aber das tat ich nicht, ich war ein braver Bürger. Sachertorte und Schokolade konnte der Algorithmus selbst in sich hineinstopfen, dachte ich und machte das Licht aus.

Am nächsten Morgen beim Müllraustragen fragte mich mein querdenkender Nachbar, ob ich schon geimpft sei. Nein, entgegnete ich, ich sei doch nicht systemrelevant und keine Risikogruppe. Wer sollte mich impfen?

»Das machen inzwischen die Hausärzte«, berichtete er. »Sie impfen alle kreuz und quer. Bald werden sie mit ihrem

Stoff von Haus zu Haus ziehen und an jeder Tür klingeln. Aber ich mache nicht auf! Ich lasse mich auf dieses Abenteuer nicht ein!«, schimpfte der Impfverweigerer. »Hast du gelesen, was mit Leuten passiert, die sich das Zeug haben spritzen lassen? Sie haben Depressionen, sie leiden unter Schmerzen, sie hören Stimmen, die ihnen auf Englisch Unverständliches mitteilen, sie werden instrumentalisiert von einer neuen Elite, die eine neue Klassengesellschaft aufbauen will. Da mache ich nicht mit!«

Mein Nachbar glaubte bereits am Anfang der Pandemie nicht an die Fledermaustheorie. Er war davon überzeugt, dass die Welteliten das Virus unters Volk gestreut hatten, um die ärmeren Teile der Bevölkerung loszuwerden und vom überlebenden Rest mehr Gehorsam zu verlangen.

»Hast du gesehen, was in Brasilien los ist? Ganz Indien steht in Flammen! Und Amerika? Ich wollte gestern meine Schwester in Chicago anrufen, aber kam nicht durch! Irgendetwas ist da im Gange! Ich sage dir, ich würde gerne denjenigen ins Gesicht spucken, die dieses Unheil angerichtet haben.«

»Ich glaube nicht, dass etwas im Gange ist«, versuchte ich ihn zu beruhigen. »Die Brasilianer und die Inder haben ein schwächeres Gesundheitssystem als die Europäer. Und die Amerikaner schätzen ihre Grundrechte zu sehr. Sie sterben lieber, als Masken zu tragen und zu Hause zu sitzen. Und der Handyempfang in unserem Haus war schon immer sehr schlecht, wir haben hier auch ein Internet wie im Mittelalter, das weiß jedes Kind!«

Mein Nachbar wäre mit seinen Vorerkrankungen ganz an der Spitze der Priorisierungshierarchie gestanden, und in seinem Alter hätte er sich schon längst vom Staat die rettende Spritze holen können. Doch er wehrte sich. Man sagt zwar, mit dem Alter komme die Weisheit, aber manchmal kam das Alter auch ganz allein.

Eine solche Skepsis der Impfung gegenüber hatte ich bis dahin nur bei meinen Landsleuten bemerkt. Im Frühling 2021 hatte die Regierung in Russland bereits seit über einem Jahr versucht, die Bevölkerung zu überzeugen, sich Sputnik V injizieren zu lassen. Vergeblich. Sogar in Moskau, einer aufgeklärten Stadt, wurde die Impfung an jeder Ecke angeboten. Die Menschen mussten sich nicht einmal Vorträge über mögliche Nebenwirkungen anhören oder lästige Formulare ausfüllen. Sie bekamen sogar noch ein Eis gratis dazu! Und trotzdem machten die meisten einen großen Bogen um die Impfzentren. Die Russen wussten genau: Wenn der Staat etwas umsonst anbot, musste der Hund ganz in der Nähe begraben sein. Und wenn es noch ein Eis kostenlos dazu gab, sollte man auf gar keinen Fall daran lecken.

Mir blieb aber die Idee des Nachbarn im Kopf stecken – vielleicht sollte ich beim Hausarzt anrufen? Das Problem war, ich hatte gar keinen. Der einzige Hausarzt, den ich kannte, war der aus der Praxis, in der ich seit dreißig Jahren die Rezepte für meine Mutter abholte. Eine typisch ostdeutsche Einrichtung mit Schwester Martina und Schwester Christine und einer halbtoten Yuccapalme in der Ecke, die noch die Wiedervereinigung erlebt hatte, ohne den Topf gewechselt zu bekommen. Ich hatte in dieser Praxis immer ein nettes Gespräch.

»Na?«, fragte mich Schwester Martina, »wie geht es Mama?«

»Mama geht es gut, danke«, berichtete ich, bekam Mamas Rezepte und verschwand.

Ich hatte diese Praxis bisher gedanklich nie mit dem Gesundheitswesen in Verbindung gebracht. Ohne große Erwartungen rief ich dort an. Schwester Martina nahm den Hörer ab.

»Ja, Herr Kaminer, wir haben Pfizer bekommen«, flüsterte sie. »Und BioNTech haben wir auch. Die Praxis schließt, wir sind ab sofort nur für Impfungen zuständig. Ich rufe Sie in den nächsten Tagen an.«

Drei Tage später bekam ich den ersehnten Anruf, Schwester Christine war am Apparat. Auch sie flüsterte.

»Kommen Sie am Mittwoch um 9.00 Uhr früh und bringen Sie bitte niemanden mit. Die Tür der Praxis wird zu sein, bitte klingeln Sie nicht. Um 9.00 Uhr komme ich heraus und hole Sie rein. Legen Sie bitte nicht auf! Sie müssen sich vorbereiten. Gehen Sie auf die Seite des Robert Koch-

Instituts – schaffen Sie das? Dort finden Sie alle Unterlagen, die Sie ausgedruckt, ausgefüllt und unterschrieben mitbringen müssen. Legen Sie bitte nicht auf! Das Aufklärungsblatt, den Anamnese- und Einwilligungsbogen bloß nicht vergessen, es sind drei Formulare, nicht zwei und nicht vier. Und bringen Sie Ihren Impfausweis mit!«

Am verabredeten Tag stand ich mit fünf weiteren deutlich eingeschüchterten Personen um kurz vor 9.00 vor der verschlossenen Tür der Praxis. Mit mir warteten: ein älteres Ehepaar, ein Junge mit Walkman, der sich vor Aufregung ständig kratzte, ein molliger Mann mit Blumenstrauß und eine Frau auf Krücken. Die Stimmung war gravitätisch. Sechs Kandidaten für eine Dose. Es schien, als hätte sich ganz Deutschland aufgerappelt, um in die letzte entscheidende Schlacht gegen die Pandemie zu ziehen.

Es wurde 9.00 Uhr, aber niemand machte auf. Unser kleines Deutschland fing an, sorgenvoll auf die Uhr zu schauen, laut zu gähnen und sich zu kratzen. Nach einem akademischen *cum tempore* öffnete sich die Tür einen Spalt. Schwester Martina schaute in einem nagelneuen hellgrünen Arztkittel lustig zu uns heraus.

»Sind alle da?«, fragte sie in die Runde.

»Ja!«, muhte unser kleines Deutschland zurück.

»Dann rein mit euch!«

Die alte Praxis war nicht wiederzuerkennen. Der Boden frisch gewischt, die Stühle im Warteraum in einer Reihe aufgestellt, und beide Schwestern waren anscheinend negativ getestet beim Friseur gewesen – ihre Dauerwellen saßen perfekt. Sogar die invalide Yuccapalme hatte sich hochgerappelt und war grün angelaufen. Sie roch nach Tannenbaum.

Die Frau auf Krücken hatte Angst, auf dem nassen Boden auszurutschen. »Wir schaffen das«, sagte ich und half ihr über die Stufe. Sie lächelte verlegen. Die Ärztin betrat den Warteraum. Man spürte die bombige Stimmung. Jahre-, nein jahrzehntelang war in der Praxis nichts los gewesen, es waren die immer gleichen Patienten mit den immer gleichen Beschwerden gekommen, hatten ihre Rezepte bekommen und waren wieder gegangen. Nun hatte das Unglück der Pandemie die Praxis in eine Arche Noah verwandelt. Die von der Ärztin Auserwählten durften an Bord und bekamen eine lebensrettende Zauberspritze, während die Welt da draußen unterging: Halb Brasilien bekam keine Luft mehr, und in Indien ging das Holz aus, weil sie es zur Verbrennung der Leichen brauchten.

»Wir haben heute eine frische Dose BioNTech aufgemacht, gerade aus der Fabrik geliefert. Wer möchte als Erster ran?«, fragte die Ärztin. Deutschland schwieg. Keiner traute sich, die Hand zu heben.

»Ich! Ich will ran!«, gab ich ein Zeichen. Umgehend bekam ich einen Piks in den linken Oberarm und fühlte mich gleich besser.

»Herr Kaminer, haben Sie etwa Ihren Impfausweis vergessen?«, fragte mich Schwester Martina.

»Ja, habe ich vergessen«, log ich beim Hinausgehen. »Bringe ich beim nächsten Mal mit.«

Es war mir peinlich zuzugeben, dass ich nie einen Impfausweis besessen hatte. Während meiner dreißig Jahre in Deutschland hatte ich ein solches Dokument nie gebraucht, wir hatten ja auch keine Pandemie.

Am Tag nach der Impfung konnte ich nur mit großer Mühe aufstehen. Ich fühlte mich schwach und verloren, jede Bewegung erforderte eine ungeheure Anstrengung. Der Impfstoff fing offenbar an zu wirken, die große Veränderung setzte ein: Ich spürte, wie mein alter Körper jede Sekunde neue Antikörper produzierte, um mich vor einer Krankheit zu schützen, die ich gar nicht hatte. Ich war auf alles vorbereitet, auf eine radikale Veränderung der Realitätswahrnehmung, auf Gliederschmerzen, auf Depressionen, sogar auf Stimmen in meinem Kopf, die Unverständliches auf Englisch flüsterten. Ich hatte meine Englischkenntnisse ohnehin schon lange auffrischen wollen, war aber im täglichen Trubel bisher nicht dazu gekommen. Doch nichts davon trat ein. Schon einen Tag später fühlte ich mich wie vor der Impfung. Als wäre nichts gewesen. Nur der Handyempfang in meiner Wohnung hatte sich deutlich verbessert, und ich bekam von *last minute* keine Angebote mehr, Sachertorte zu essen. Eine bescheidene Nebenwirkung angesichts des ersparten Leids. Meinen Nachbarn wollte ich nicht kränken, ich habe ihm von der Impfung nichts erzählt. Ich dachte, es wäre besser, darüber zu schweigen, dass wir in unserem Haus nun eine Klassengesellschaft hatten.

Unsere Zivilisation

Anstand, Höflichkeit und gute Manieren lehren uns, nicht über Abwesende zu lästern. Aber wir taten es trotzdem. Alle, von Greta bis zum Bundespräsidenten, lästerten über »unsere Zivilisation«: Sie sei egoistisch, zerbrechlich, selbstverliebt und voll daneben, habe sich in die falsche Richtung entwickelt und sei eine Gefahr für sich selbst geworden. Unsere Zivilisation saß währenddessen die ganze Zeit hinter Plexiglas und hatte Angst, einmal zu niesen. Sie hatte beinahe überall auf der Welt Hausverbot, durfte keine Kneipen und Restaurants besuchen, von Kinos und Museen ganz zu schweigen.

Unsere Zivilisation hatte auf einmal nichts mehr zu sagen. Sie verkroch sich in Abstellkammern, Wohnzimmern und Küchen. Von dort aus telefonierte sie unablässig mit Hausärzten, Impfzentren und Hotlines. Sie wollte endlich einen Impftermin, aber überall war besetzt, oder es ging keiner ran.

»Na wartet«, dachte unsere Zivilisation voller Selbstmitleid und Zorn. »Wartet nur ab! Welche Lebenserwartung haben denn diese Viren? Früher oder später werden sie weg sein, und ich komme wieder! Es werden auch auf meiner Straße Champagnerkorken knallen und Akkordeons spielen.« So murmelte unsere angeschlagene Zivilisation und hustete verstohlen in ihr Fäustchen, vierzehn Monate lang. Sie wusste, es führte kein Weg an ihr vorbei. Sie war einmalig und unersetzlich, es gab keine andere »unsere Zivilisation«, da konnten Greta und der Bundespräsident erzählen, was sie wollten. Die gehörten nämlich auch dazu, wir alle gehörten dazu, und wir waren allein unter der Sonne, allein im Universum, gemeinsam allein.

Erst zu Pfingsten wagte sich unsere Zivilisation wieder an die frische Luft. Als Erste kamen die Fassbiertrinker, die Avantgarde unserer Zivilisation. Ihnen folgten die frisch getesteten Ganztagskonsumenten, die in den Einkaufszentren schnupperten, und bald rollten auch schon die großen Koffer wieder durch die Straßen. Die ersten Touristen sprossen wie Pilze nach dem Regen aus dem Boden. Durfte man schon wieder reisen? Na klar, mit einem frischen Test und einer Einreiseanmeldung, möglicherweise sogar ohne danach in Quarantäne zu müssen.

Bereits kurz vor Pfingsten hatte ich eine echte japanische Reisegruppe mit Fotoapparaten und Fähnchen gesehen. Wie in alten Zeiten. Ich traute meinen Augen nicht und hielt sie zuerst für Komparsen in einem Corona-Warnfilm. Aber nein, die Touristen waren echt. Ich sah sie vor dem Eingang von Schloss Neuschwanstein, der beliebten deutschen Sehenswürdigkeit. Ich war dort selbst gewissermaßen Tourist und drehte einen Film über die Restaurierung des Gebäudes.

Diese Filme hatten mich während der Pandemie vor der Arbeitslosigkeit gerettet. Ich durfte keine Lesungen und keine Russendiskos abhalten, aber Dreharbeiten waren erlaubt – natürlich unter Einhaltung strengster Hygienemaßnahmen: Wir durften nur frisch getestete oder längst genesene Personen interviewen, und alle Filmcrewmitglieder mussten jeden Morgen gleich nach dem Zähneputzen mit einem Stäbchen in der Nase bohren.

Das Märchenschloss war wie alle Sehenswürdigkeiten seit vielen Monaten krankgeschrieben, und man nutzte die Zeit für Restaurierungsarbeiten. Es waren die ersten seit über 130 Jahren. Sie waren längst überfällig. Nachdem der schlaue Walt Disney das edle Bauprojekt des bayerischen Königs für seine Zeichentrickfilme und sein Firmenlogo kreativ missbraucht hatte, war das Schloss neben dem Kölner Dom und dem Brandenburger Tor zur größten Sehenswürdigkeit Deutschlands aufgestiegen. Millionen Touristen aus aller Welt wurden Jahr für Jahr durch Neuschwanstein geschleust, und einige von ihnen dachten, der bayerische König habe sein Schloss bei Walt Disney abgeguckt. Die Touristen waren Fluch und Segen für das Schloss. Sie brachten Geld und verhalfen vielen Kleinhändlern rund um die Sehenswürdigkeit zu Wohlstand. Gleichzeitig wischten sie mit ihren Mänteln und Rucksäcken beinahe alle Schwäne von den Wänden, rieben dem Drachen im Treppenhaus die Nase ab, weil es angeblich Glück brachte, ihm an sein Riechorgan zu fassen, und gaben sich Mühe, die romantische Grotte des Königs Stück für Stück abzutragen. Außerdem schleppten sie Viren, Bakterien und Schimmel ins Schloss.

»Wir Menschen bringen überallhin Schimmel mit«, erklärte mir die Chef-Restauratorin. Wir sind einfach feucht und bestehen zu achtzig Prozent aus Wasser, der Rest ist vermutlich Alkohol. In kleinen Räumen und allein gelassen neigen wir dazu, jedes Schloss zu verschimmeln. Also wurde die Corona-Zwangspause genutzt, um das Haus wieder in Ordnung zu bringen. Und ich nutzte diese Zeit, um im Schloss einen Film zu drehen. Ich durfte allein durch die Gemächer des Königs spazieren, in seinem Leseerker und an seinem Schreibtisch sitzen. Ich habe sogar die königliche Toilette besucht, die erste in Europa mit automatischer Spülung.

Obwohl sich der König als romantischer Sagenliebhaber und treuer Wagnerfan inszenierte, konnte man seine Begeisterung für Technik und Fortschritt überall im Schloss sehen. Neben der Klospülung hatte er eine moderne Heizung und eine Sprechanlage in sein Kabinett installieren lassen, er besaß sogar ein Telefon, und das im 19. Jahrhundert. Allerdings konnte der arme König seine Nummer nicht auf eine Visitenkarte drucken lassen und den Leuten sagen: »Hallo, ich bin der König. Sie können mich jederzeit von Montag bis Freitag zwischen 9.00 und 17.00 Uhr anrufen.« Denn der König hatte zwar ein Telefon, aber keine Telefonnummer. Er war nämlich alleiniger Besitzer dieses wunderbaren Gerätes, und die meisten wunderbaren Kommunikationsgeräte machen nur Sinn, wenn möglichst viele Menschen sie besitzen. Das war aber damals in den Zeiten der Monarchie noch nicht der Fall. Es ist ganz schön blöd, dachte ich, vor dem Telefon des Königs stehend, wenn man im Alleinbesitz eines Kommunikationsgerätes ist. Der einzige Anruf, den der König machen konnte, war in die Postfiliale unten im Dorf. Dort war aber angeblich ständig besetzt.

Ich sprach mit den Restauratoren und Mitarbeitern des Schlosses, ob sie die Touristen vermissen würden. Es war nicht auszuschließen, dass sich die Millionen nach der Pandemie wieder auf den Weg machten. Da dürfte die neue Drachennase ein kurzes und anstrengendes Leben haben. »Es wäre schon schöner, wenn nicht so viele auf einmal kommen würden«, meinten die Mitarbeiter. Aber ganz ohne Touristen habe das Schloss keinen Sinn. Alles, was Menschen taten und erschufen, war nun einmal auf die Bewunderung anderer angewiesen.

Am letzten Tag drehten wir im Souvenirkiosk vor dem

Schloss. Ich wunderte mich über das großzügige Angebot des Besitzers, er hatte nämlich ganz Deutschland in seinen Regalen. Neben bayerischen Biergläsern und einer Unzahl von Schwänen in allen Farben und Größen konnte man hier den Kölner Dom und die Dresdner Frauenkirche finden, aber auch Karnevalsmasken und Schwarzwälder Kuckucksuhren.

Das Schloss Neuschwanstein stehe bei vielen Reiseunternehmen in ihrem umfangreichen Angebot »Europa in zehn Tagen« als Wahrzeichen für ganz Deutschland, erklärte mir der Kioskbesitzer. Und damit war mit dem Besuch von Neuschwanstein für viele gleich auch ganz Deutschland abgehakt. Mehr sei bei dem Zehntageprogramm nicht drin. Dabei habe Deutschland viel mehr Sehenswürdigkeiten zu bieten. Und wenn schon Gottes Wille und Walt Disneys Filme dafür gesorgt hätten, dass sein Souvenirkiosk der einzige sein sollte, den die Touristen in Deutschland besuchten, so wolle er wenigstens, dass die anderen Highlights nicht zu kurz kamen. Er sei sich seiner Verantwortung bewusst und gebe sich Mühe, den Besuchern etwas anzubieten, das sie daran erinnerte, dass Deutschland neben dem Schloss im Ostallgäu noch viel mehr zu bieten habe. Den Kölner Dom zum Beispiel oder die Frauenkirche. Wenn die Menschen schon keine Zeit hätten, an die Orte selbst zu fahren, könnten sie in seinem Kiosk zumindest diese in China hergestellten Souvenirs kaufen und sie mit nach Hause nehmen, dorthin, wo sie hergestellt worden waren und wo er später neue bestellte. Auf diese Weise wäre der Durchlauf der Kölner Dome, dieser Wahrzeichen unserer Zivilisation, auf dem Planeten gewährleistet.

Während wir mit dem Kioskbesitzer die Einzelheiten der deutschen Sehenswürdigkeiten besprachen, kam plötzlich eine Gruppe japanischer Touristen aus dem Wald. Ich konnte es kaum fassen. Das Schloss hatte noch zu, aber der Souvenirkiosk und die Eisdiele waren für Besucher geöffnet. Die Kutschpferde, die seit über einem Jahr Sandsäcke den Berg hinauf- und hinunterschleppen mussten, weil sie ohne Touristenlast Muskelschwund bekommen hätten, wieherten laut. Die Eisverkäufer und die Wurstfachfrau liefen rot an. Ging es jetzt schon los? Scheu und unsicher zog ein Japaner seine Spiegelreflexkamera aus der Tasche, während sich seine Landsleute zu einem Gruppenbild vor dem Märchenschloss aufbauten. Wir schauten alle wie gebannt hin. Wir wussten natürlich nicht, ob es echte Japaner aus Japan oder nur ausgeliehene aus München oder Düsseldorf waren, ob internationale Fernflüge schon wieder möglich waren, ob sie vielleicht gar keine Touristen waren, sondern bloß Virologen in einem Austauschprogramm. Trotzdem starrten wir den Mann mit dem Fotoapparat an und warteten so gespannt auf das Klicken des Auslösers seiner Kamera, als würde sie uns den Startschuss für eine neue Ära geben – genauso schön wie die alte, nur besser.

Die Kamera klickte leise, und sofort fing es an zu regnen. Von Neuschwanstein aus fuhr ich durch ganz Deutschland nach Berlin zurück. Es regnete in Strömen. Die Bundesnotbremse hatte überall ihre krassen Nebenwirkungen hinterlassen. Der ganze Frühling wurde mächtig ausgebremst, es hagelte und schneite im Mai fast jeden Tag. Trotzdem standen Krokusse, Narzissen und Tulpen ungewöhnlich lange in voller Pracht, als wären sie alle schon zwei Mal geimpft. Die Maiglöckchen wurden auf später vertröstet, sie bekamen wohl erst Ende Juni oder Mitte August einen Termin. Wie die Kinder und Jugendlichen. Die hatten es in der Pandemie besonders schwer. Allein schon die Testpflicht an Schulen war eine enorme Herausforderung. In der gesamten Geschichte der Menschheit hatte der Staat noch nie so lange und eindringlich in Kindernasen gebohrt. Eine Freundin von mir, eine Erstklässlerin, erzählte, wie ihre Schule von den Montagstests überrascht wurde. Jedes Kind sollte sich vor Unterrichtsbeginn selbst das Stäbchen in die Nase stecken, mindestens zwei Zentimeter tief, dann heftig drehen und wieder herausnehmen. Und natürlich stellte sich die Frage, wohin mit den Popeln? Zum Glück hatte ihre Klasse einen Torsten, der schon früher gerne seine Popel aufaß. Man kann über die ästhetischen Aspekte dieser Leidenschaft streiten, aber die Geschmäcker sind nun mal verschieden. Doch mit dem Test waren die Schwierigkeiten nicht vorbei. Wurde ein Kind positiv getestet, gab es Tränen und Geschrei, als wäre das junge Leben damit zu Ende. Also wurden die Schüler auf Lolli-Tests umgerüstet. Sie mussten jetzt nicht mehr mit den Stäbchen in der Nase bohren, sondern dreißig Sekunden anonym lutschen. Sollte jemand Corona-positiv sein, musste die ganze Klasse einzeln noch einmal getestet werden.

Kaum durften wir langsam wieder zusammenkommen, wurden wir auch schon wieder getrennt und in Gruppen aufgeteilt. Wir seien jetzt eine 3G-Gesellschaft, wurde uns von der politischen Führung des Landes mitgeteilt. Nur die Auserwählten durften in den Garten, genauer gesagt: Nur in 3G-Konstellationen kämen wir in die Biergärten zurück: getestet, geimpft oder genesen. Eigentlich waren wir 4G, aber die Gestorbenen müssten nicht in die Biergärten, deswegen blieben wir bei 3.

Trotz des schlechten Wetters und der stagnierenden Inzidenzen erwachte in Berlin der Flieder zum Leben, und die Menschen kehrten auf die Straßen zurück. Sie eroberten ihre sozialen Räume wieder, auch solche, die früher fast ausschließlich den Pennern und den Obdachlosen vorbehalten waren. Auf jeder Bank, unter jeder Brücke, auf jedem Kinderspielplatz picknickten die Nichtgeimpften und Nichtgetesteten. Was hatten wir nicht alles in der letzten

Zeit ausprobiert: Suppen im Glas, Fisch in Zeitungen ge-
wickelt, Schalen mit Nudeln und Cocktails aus der Tüte.
Die Kinder auf dem Spielplatz spielten statt Verstecken
jetzt Ansteckspiele. »Du hast Corona, Mona! Steck an!«
Sie liefen hintereinander her, und wer angesteckt wurde,
musste in Quarantäne unter die Bank.

Man munkelte in der Stadt, die Impfpriorisierung werde
in einigen Tagen aufgehoben und alle, sogar Kinder und
Schwangere, bekämen eine Spritze. Bald dürften wir wieder zusammenkommen, egal aus wie vielen Haushalten wir
stammten. Wir würden natürlich noch lange darüber diskutieren, was uns da erwischt hatte. Die Natur oder die
Wissenschaft? Waren wir der Natur in die Falle gelaufen,
die uns endlich loswerden wollte, weil wir Menschen so
gefräßig und maßlos geworden waren und alles in unseren
Warenkorb stopften, was uns über den Weg lief? Und was
nicht in den Korb passte, wurde passend gemacht. Sodass
die hinterhältige Natur auf den richtigen Augenblick wartete – wir waren gerade mit dem Abendessen beschäftigt –
und uns eine verdorbene Fledermaus in den Korb legte.

Oder war doch unsere tapfere Wissenschaft schuld, die
Tag und Nacht unaufhaltsam den Fortschritt vorwärts-
trieb? Die Wissbegier der Menschheit ist grenzenlos, wir
wollen alles erkunden, jedes Lebewesen auf dem Planeten untersuchen, jedes Virus persönlich kennenlernen. Wir
wollen alle Risiken und Nebenwirkungen des Lebens he-

rausfinden, solange es noch irgendwo einen Arzt oder Apotheker gibt, der uns darüber aufklären kann. Und manchmal braucht die Wissenschaft unser aller Hilfe, um etwas Wichtiges herauszufinden.

Die Meinungen werden wie immer auseinandergehen. Die WHO meinte, es sei die Fledermaus gewesen. Der amerikanische Präsident sagte, es war ganz sicher die Wissenschaft, aber nicht unsere. Wir waren bloß die Mäuse in einem chinesischen Labor. Ich selbst hatte bereits im Frühling eigene Recherchen durchgeführt. Ein Freund von mir ist seit gut zehn Jahren mit einer Chinesin verheiratet. Wir sehen uns selten. Sie ist eine schweigsame Frau, doch sie antwortet immer, wenn man sie etwas fragt. Nie im Leben, sagte sie, würden ihre Landsleute Fledermäuse essen. Weder roh noch geräuchert oder gebraten:

»Die Fledermaus ist im chinesischen Volksglauben ein negativ besetztes Symbol. Es bringt Unglück, einem solchen Tier zu begegnen, ganz zu schweigen davon, es anzufassen. Wenn also ein Chinese auf eine Fledermaus trifft, dann schaut er weg und tut so, als hätte er das Tier nie gesehen. Und dieser Film, den ihr alle gesehen habt, wurde garantiert nicht auf dem chinesischen Markt gedreht. Chinesische Märkte sind nämlich sauberer als deutsche, und Lebensmittel liegen dort ordentlich in speziellen Ablagen aus und stehen nicht in schmutzigen Kisten in einer Pfütze«, sagte die Frau. Den Film hätten Abgesandte des Westens irgendwo in Kasachstan gedreht, wo die Menschen Hunger litten und sich als Komparsen für jeden Quatsch anboten. Ich gebe zu, es war für mich befreiend zu erfahren, dass wir der Natur doch nicht zu übel geworden waren, sondern im Dienst der Wissenschaft gelitten hatten. Jede neue Erfahrung fordert Opfer. Nicht umsonst steht in der Bibel: Wo viel Weisheit ist, ist viel Verdruss, und wer sein *Wissen mehrt,* der *mehrt* auch seinen Schmerz. Dank der Wissenschaft durften wir in kürzester Zeit viel neues Wissen sammeln und viele neue wunderbare Vakzine ausprobieren, die uns in Zukunft sicher noch behilflich sein werden.

Wird uns Corona nachhaltig verändern? Welche Spuren wird die Pandemie hinterlassen? Werden wir weiter soziale Distanz wahren, Masken tragen und einander nicht die Hand geben? Ich glaube nicht. Alles wird schnell vergessen sein. Wir haben schon Schlimmeres vergessen. Wir werden einander umarmen, küssen und beschmusen, alle Haushalte einladen und feiern, bis der Arzt mit der nächsten Spritze kommt. Die Hunde aber, die sich viele Menschen während der Pandemie angeschafft hatten, werden bleiben. Genauso wie Homeoffice zwei Tage in der Woche, Mund-Nasen-Schutz im Handschuhfach und Lauterbach im Fernsehen. Und das Picknicken an der frischen Luft soll auch bleiben, weil es so nett war, auf einer Bank neben der Mülltonne sitzend in einem auf den Knien liegenden Pappteller herumzustochern.

In einem Jahr werden wir uns fragen: War da eigentlich was? Ein Ausrutscher auf dem Seil des Fortschritts. Ein Picknick auf dem Spielplatz der Geschichte. Sorry, wir hatten uns die Hände nicht gewaschen.

Das Corona-Wörterbuch

*A*nwesenheitsdokumentation
Ein kleines Büchlein, das als Nachweis unserer Existenz jederzeit bei der entsprechenden Behörde vorgelegt werden
kann. Drei Fragen verfolgen uns seit der Geburt: Was soll
das? Wer sind diese komischen Leute? Und wie spät ist es
eigentlich? Wir gehen durchs Leben, wechseln von einem
Ort zum nächsten, verlieren uns in Gedanken und wissen
oft gar nicht, ob es uns wirklich gibt. Doch wenn jeder seinen Lebenslauf sorgfältig dokumentieren und genau auf-
schreiben würde, wann er wen getroffen hat, wie lange und
mit welchem Abstand, bekäme das Leben plötzlich einen
Sinn. Er oder sie könnte ruhigen Gewissens bei jedem Ver-
hör alle entscheidenden Fragen beantworten. Außerdem
hilft die Anwesenheitsdokumentation dabei, den geheimen
Weg der unsichtbaren Viren zurückzuverfolgen.

*B*ewegungsradius
Im Fall einer größeren Ausbreitung des Virus beschloss das
Corona-Kabinett (ehemals »Bundesregierung«), den Hand-

lungsraum jedes einzelnen Bürgers auf einen Radius von maximal 15 Kilometern einzuschränken. Der Sinn dieser Maßnahme bestand darin, Tagesausflüge und damit verbundene Neuinfektionen zu verhindern. Mithilfe eines Zirkels wurde es jedem leicht gemacht, einen persönlichen Kreis um sein sicheres Zuhause zu ziehen, auf die Karte zu schauen und die Gegend vor der eigenen Haustür endlich einmal genauer wahrzunehmen. Uns kam der Kreis allerdings viel zu weit vor. Ich hätte zum Beispiel, wenn ich gewollt hätte, von Prenzlauer Berg aus bis nach Pichelsdorf und Dallgow-Döberitz fahren können, einem Königswald mit Havelseen. Ja, diese Orte waren in meinem persönlichen Bewegungsradius vorhanden. Ich hatte aber noch nie von ihnen gehört und kannte dort auch niemanden. Einen Tagesausflug nach Dallgow-Döberitz konnte ich mir daher nicht vorstellen. Was sollte ich dort? Für uns war schon ein Ausflug nach Westberlin eine nervenaufreibende Angelegenheit, eine Reise ins Ungewisse, ein Abtauchen in eine andere Kultur. Mallorca und die Kanaren fühlten sich vertrauter und näher an. Es gab aber wohl junge Menschen in Berlin, die von ihrem neuen Bewegungsradius ermutigt unaufhörlich Kreise drehten und ihre kleine »Heimat« neu kennenlernten.

Corona-Viren

Nach Erkenntnissen der Wissenschaft gleicht der Mensch einer Pfütze: Er besteht zu etwa achtzig Prozent aus Was-

ser. Mit der Zeit trocknet die Pfütze ein wenig aus, und
wenn die feuchte Jugendphase vorüber ist, beginnt es in
den Knien zu knacken. Das heißt, der Wassergehalt ist auf
gefährliche siebzig Prozent gesunken. Woraus die restlichen dreißig Prozent des Menschen bestehen, ist – wie bei
der Pfütze – unklar, da gehen die Meinungen der Wissenschaftler auseinander. Wahrscheinlich machen Wesen, die
in einer meist friedlichen Symbiose mit uns leben, die restlichen Prozente unseres Körpers aus: Mikroben, Bakterien,
Viren, Pilze. Die Viren sind die kleinsten von ihnen und
nicht einmal mit dem Mikroskop erkennbar. Sie verbreiten sich von Mensch zu Mensch hauptsächlich durch niesen und husten. Ab und zu nisten sich neue Viren anderer
Lebewesen in unserem Körper ein, wenn wir zum Beispiel von einer Fledermaus angehustet werden. Der Körper kann die Eindringlinge nicht sofort als gute Nachbarn
erkennen und reagiert mit einer heftigen Abwehrreaktion,
die das Gesamtkunstwerk Mensch komplett umhaut.

Drosten

Christian Drosten, der Virologe aus der Berliner Charité, gab der Pandemie ein Gesicht. In ihrer Verzweiflung und Unfähigkeit, mit der neuen Gefahr umzugehen,
wandte sich die Bundesregierung an Mediziner und Wissenschaftler. Doch es war schwierig, deren Empfehlungen
und Ausführungen in die Sprache der Verordnungen und

Paragraphen umzusetzen. Von allen Virologen drückte sich Christian Drosten am klarsten und unmissverständlichsten aus. Der Mann schien zu wissen, wo sich die Viren aufhielten und wie man ihnen aus dem Weg ging. Er würde niemals Bier vom Fass trinken, sagte er in einem seiner ersten Interviews. Ab sofort galt Bier vom Fass als tabu. Seine mediale Präsenz war allgegenwärtig. Es schien, als kenne nur er, Drosten, die Antworten auf die aktuell wichtigsten Fragen des Lebens: Wo sind wir? Wie kommen wir hier wieder raus? Und wie geht es weiter? Man hatte zeitweise den Eindruck, alle würden auf ihn hören: Bundesregierung, Bürger und Viren schienen seinen Anweisungen zu folgen. Für viele war es ein Kulturschock, in einer Welt zu leben, die nicht von einem allwissenden Gott, nicht vom amerikanischen Geheimdienst und nicht einmal von Rothschild oder Bill Gates gelenkt wurde, sondern von einem Professor für Virologie aus der Charité. Er wurde zu einer Kultfigur, gleichermaßen geliebt wie gehasst. Manche Fans ließen sich sein Gesicht auf ihren Körper tätowieren, was mit Sicherheit eine unüberlegte Geste war. Pandemien und ihre Götter kommen und gehen, Tattoos aber bleiben.

Entzug

Langsam wuchs die Erkenntnis: Gegen die Pandemie war eine Impfung unsere einzige Hoffnung. Pharmaindustrie und Impfstoff-Hersteller wurden zu den wichtigsten

Unternehmen des Planeten. Wem würde es am schnellsten gelingen, ein Vakzin gegen das neuartige Virus zu liefern? Es war spannender als Fußball. Doch für die Herstellung eines Vakzins brauchte man eher Geduld und Ruhe als Erfindungsgeist. Wie ein neuer Mensch seine neun Monate im Mutterleib braucht, um als ausgereiftes Mitglied der Gesellschaft auf die Welt zu schlüpfen, so muss auch ein neuer Impfstoff alle Testphasen durchlaufen, um seinen Zweck zu erfüllen.

Natürlich kann man das Kind auch vorzeitig auf die Welt holen, es ist vielleicht ein wenig unreif und hat hier und da noch Entwicklungsbedarf, kann aber trotzdem zu einem guten Menschen heranwachsen. Russland, China, die Vereinigten Staaten und Europa lieferten sich einen beispiellosen Wettkampf, wessen Labore am schnellsten arbeiteten und welche Regierungen eine Notzulassung für nicht geprüfte Medikamente erzwingen könnten. Russland hat gewonnen. Sein Vakzin war bereits im Sommer fertig und genehmigt ohne eine entscheidende Testphase, die vom Präsidenten persönlich als überflüssig abgetan wurde. Sputnik V versprach sofortige Immunisierung ohne Nebenwirkungen. Allerdings wollte der Präsident sich selbst nicht damit impfen lassen. »Bei uns steht das Volk an erster Stelle«, sagte er.

Die Impfbereitschaft des Volkes hielt sich allerdings ebenfalls in Grenzen. Dies lag nicht zuletzt daran, dass die

Gesundheitsministerin verkündete, man solle 42 Tage vor
der Impfung keinen Alkohol trinken und 42 Tage danach
ebenfalls nicht. Einen solchen Entzug kann sich in Russland eigentlich keiner leisten. Die wichtigsten Fragen nach
dem Leben, dem Universum und dem ganzen Rest konnte
man in Russland in nüchternem Zustand niemals beantworten. Und überhaupt – woher kam diese komische gerade Zahl? Was bedeutete sie? Warum sollte der Entzug
ausgerechnet 42 Tage dauern?, fragten sich die Bürgerinnen und Bürger. Einige haben »42« gegoogelt, wurden selig
und gingen zur Impfung.

Fledermaus/Flughund

Der Mensch ist bekanntlich ein neugieriger Allesesser. Er
interessiert sich besonders dafür, wie andere Lebewesen
wohl schmecken, und möchte sie alle durch die Bank ausprobieren – durchgebraten, medium oder roh. Und wenn er
Bauchschmerzen bekommt, geht er einfach aufs Klo. Nur in
seltenen Fällen hilft das nicht. Das kleine Säugetier Fledermaus, womöglich auch der Flughund, galt als Ursprung der
Pandemie. Angeblich lebten diese Tiere seit Jahrhunderten
in einer friedlichen Symbiose mit dem Virus, bis sich die
Menschen eines Tages fragten, wie ein solches Flattertier
wohl schmecken würde. Laut Legende hatte eine Verkäuferin auf dem Markt für exotische Tiere in der chinesischen
Stadt Wuhan eine Fledermaus oder einen Flughund zum

Verzehr angeboten, die – oder der – nicht wirklich durchgebraten war, möglicherweise sogar als Carpaccio zubereitet. Andere erzählen, die Maus habe sogar auf dem Pappteller noch geniest. So war das Virus von diesem Flattertier auf die Menschen übergesprungen. Daraufhin beschloss die chinesische Regierung, nicht die Verkäuferin zu bestrafen, sondern die armen Fledermäuse auszurotten, die gar nichts dafür konnten, dass die Menschen so essensgeil waren. Millionen Tiere wurden getötet. Die Menschen blieben jedoch, wie sie waren, und werden sich auch nicht ändern. Unser Planet bietet nach wie vor eine große Vielfalt von Lebewesen an, von denen wir nicht wissen, wie sie wohl schmecken, durchgebraten, medium oder roh.

Gesundheitsamt

Unsere perfekte Welt tickt wie eine Schweizer Uhr. Die Sonne geht morgens auf und abends wieder unter, die speckigen Enten und Gänse heben pünktlich ab und fliegen nach Süden. Wer es vor Weihnachten nicht geschafft hat, ist selbst schuld. Natürlich funktioniert dieser reibungslose Ablauf nicht von allein, er muss verwaltet werden. Ein riesiger bürokratischer Apparat sorgt dafür, dass die Uhr nicht spinnt. Allein in Deutschland arbeiten fast fünf Millionen Menschen bei Ämtern und Behörden.

Neben dem Auswärtigen Amt, dem Bundespräsidialamt oder gar dem Bundesamt für Vermögensfragen war das

Gesundheitsamt lange eine untergeordnete Dienststelle. Zu seinen Aufgaben gehörte in erster Linie, Hygienekontrolleure in Gemeinschaftseinrichtungen zu schicken, in Saunas, Restaurants und Schwimmbäder. Wenn zum Beispiel in einem Schwimmbad etwas über längere Zeit an der Oberfläche schwamm, das weder nach einem Menschen noch nach einem Rettungsring aussah, oder in einem Restaurant das Essen auf dem Teller plötzlich von allein zu krabbeln begann, war das ein klarer Fall für das Gesundheitsamt. Im alltäglichen Leben unseres Bezirks spielte das Gesundheitsamt keine herausragende Rolle. Anders als die Mitarbeiter des Ordnungsamtes, die unermüdlich Tag und Nacht die Straßen unsicher machten, falsch geparkte Autos mit Bußgeldbescheiden beklebten und die Radfahrer von den Bürgersteigen verscheuchten.

Die Pandemie hat alles verändert. Auf einmal waren Gesundheitsämter überall in Deutschland zu den wichtigsten Kontrolleuren des öffentlichen und privaten Lebens der Bürger aufgestiegen. Sie waren täglich in den Nachrichten und immer mit dem Adjektiv »überfordert«. Manchmal waren auch alle gleichzeitig »an die Grenzen ihrer Möglichkeiten« gekommen, gleichzeitig waren sie die Hoffnung der Nation. Die Bürger in den Städten infizierten einander im Sekundentakt und bildeten Infektionsketten, die einen Bezirk nach dem anderen umschlangen. Die Mammutaufgabe der Gesundheitsämter bestand darin, diese Infektionsketten zurückzuverfolgen und zu unterbrechen. Die Idee dahinter war, diese Infektionsketten zu Infektionskreisen zu formen, damit möglichst viele Infizierte nur noch in ihrer eigenen Wohnung im Kreis liefen und ihre Viren nicht weitergaben.

Die Gesundheitsämter schlugen Alarm. Sie hatten auch keine Lust, auf Dauer überfordert an den Grenzen ihrer Möglichkeiten zu agieren. Ihre Kollegen aus anderen Ämtern wurden daher zur Unterstützung an die selben Grenzen geschickt, und sogar die Mitarbeiter des Ordnungsamtes mussten, zur großen Freude aller Bezirksbewohner, runter von der Straße. Sie sollten bei der Zerschlagung der Infektionsketten mithelfen, statt Knöllchen zu verteilen. Es war eine schöne Zeit. Man konnte überall parken und ohne Angst auf dem Bürgersteig Fahrrad fahren. Doch wie jeder schöne Augenblick verweilte auch dieser nicht. Ab einer Inzidenz über fünfzig konnte kein Amt und keine Verwaltung die Infektionsketten mehr zurückverfolgen, und sie gaben auf. Die Mitarbeiter des Ordnungsamtes zogen ihre hübschen Uniformen wieder an und gingen zurück auf die Straße, Knöllchen verteilen.

*H*omeoffice

»Benehmt euch so, als wärt ihr schon infiziert!«, riet der Gesundheitsminister im Fernsehen. »Wir müssen lernen, mit dem Virus zu leben, es zu verstehen«, philosophierten die Virologen. »Denn es wird niemals mehr ganz verschwinden, es wird uns immer begleiten.«

Es mehrten sich also die Stimmen in der Gesellschaft, die sagten, wir müssten lernen, wie die Viren zu leben, dann würden wir unseren Feind besser verstehen, und möglicherweise würde mit der Zeit aus dem Feind ein Freund. »Das ist eine hilfreiche Empfehlung, vielen Dank dafür, aber wie leben Viren?«, fragten sich die Bürger. Die Antwort kam schneller als erwartet: Viren lebten im Homeoffice. Anders als Menschen kannten sie keine Trennung zwischen privater Freizeit und quasi öffentlicher Arbeitszeit. Ihre Arbeit war gleichzeitig ihr Hobby.

Das neue Arbeitsmodell verbreitete sich schneller über den Planeten als das Virus selbst, weil es dem kapitalistischen Wirtschaftsprinzip von maximalem Gewinn bei minimalem Einsatz so gut entsprach. Die Arbeitgeber konnten ihre Büromieten, Stromrechnungen und Putzkräfte sparen, die Arbeitnehmer konnten länger frühstücken, schließlich war ihr Arbeitsweg von der Küche zum Arbeitszimmer wesentlich kürzer geworden. Auch die ewige Frage »Welche Socken ziehe ich heute an?« erübrigte sich bei Onlinepräsenz. Zumindest von der Tischkante abwärts war der Arbeitnehmer unsichtbar, es war ihm allein überlassen, ob er zur Arbeit mit oder ohne Socken, mit oder ohne Hose erschien.

Die Tatsache, dass sich so vieles von zu Hause aus erledigen ließ, wird uns als eine der größten Erkenntnisse aus dieser Zeit auch noch lange nach der Pandemie begleiten. Ich glaube sogar, diese Erkenntnis wird auf Dauer das Stadtbild prägen, unseren Wohnraum und unser Wohnumfeld verändern. Die unzähligen Büro- und Parkhäuser werden in Wohnhäuser, unsere Gästezimmer in Arbeitszimmer umgewandelt, denn irgendwelche Gäste werden in der nächsten Zeit nicht zu erwarten sein.

Impfpriorisierung
Im Verlauf der Pandemie wurde häufig von der Impfung als einer letzten Möglichkeit gesprochen, uns vor den tödlichen Viren zu schützen. Gleichzeitig sorgte die Knappheit der Impfstoffe für Impfchaos. Die Bürger teilten sich auf in Impfdrängler und Impfverweigerer. Um die Handlung des Geschehens zu steigern, hatte die Regierung eine Impfpriorisierung beschlossen und eine bundesweite Impfwarteliste aufgestellt. Zuerst waren die Alten, die Kranken, die Obdachlosen, die Geflüchteten und die Systemrelevanten dran. Dann kamen die Ärzte und Feuerwehrmänner an die Reihe, Schriftsteller dagegen erst einmal nicht, wenn sie nicht bereits schwer krank oder obdachlos waren und somit zu einer Risikogruppe gehörten. In der dritten Gruppe durften sich Wahlhelfer die rettende Spritze geben lassen.

In diesem Impfdrama gab es Helden und Verbrecher, verzweifelte Menschen, die sich mit Fantasieuniformen als

Feuerwehrmänner ausgaben oder von sich behaupteten, sie seien auf der Flucht. Andere meldeten sich als Wahlhelfer an, um eine Spritze zu bekommen. Es gab auch welche, die umgekehrt versuchten, die ihnen zustehende Spritze an ihre Kinder oder Geliebten umzuschreiben. Vergeblich. Der Staat prüfte genau, ob die verordnete Impfpriorisierung eingehalten wurde.

Anfang des Sommers wurde sie schließlich aufgehoben. Schnell wurden alle Menschen in meiner Umgebung geimpft, das sollte dem Impfneid ein Ende setzen. Wir konnten nun – rein theoretisch –, wenn wir wollten, alle zusammen feiern. Doch kaum waren sie vom Gesetzgeber wieder vereint, fingen die Menschen sofort an, sich erneut aufzuteilen, je nachdem, wer mit welchem Impfstoff gepikst worden war. Die Astra-Menschen wollten am liebsten unter sich bleiben, um beispielsweise gemeinsame Erfahrungen über ihre Impfreaktionen auszutauschen. Sie verschmähten Johnson & Johnson, weil die leichtsinnigen Johnsons ja nur einmal gepikst wurden. Die mit Pfizer Geimpften wiederum hielten sich selbst für supermodern und die Astra-Menschen für archaisch.

»Ihr seid alle bestimmt mRNA-geimpft?«, fragte mich mein russischer Freund. »Dürfen bei euch ein paar Sputniks vorbeikommen?«

Die Impfstoffe hatten uns wieder zusammengebracht. Sie durften uns in der Zukunft nicht trennen.

Jahrhundertereignis

Die Menschen wurden in ihre vier Wände eingesperrt, ihre Geschäfte wurden geschlossen, ihre Finanzen ruiniert, ihre Kinder durften sie nicht in die Schule schicken, ihre Eltern nicht in Pflegeheimen besuchen. Unermüdlich strengte sich die Verwaltung des Landes an, die Bürger vor Corona zu schützen. Trotzdem blieben viele uneinsichtig. Sie gingen aus, besuchten Freunde, und manche versuchten sogar, auf Teufel komm raus in den Urlaub zu flüchten. Obwohl die Corona-Schutzmaßnahmen immer drastischer wurden, hatte man das Gefühl, die Bürger nähmen das Geschehen nicht wirklich ernst, als handelte es sich um eine vorübergehende lästige Ruhestörung. Also trat die Bundeskanzlerin mehrmals im Fernsehen auf und suchte nach den richtigen Worten, nach eindrucksvollen Metaphern, die den Ernst der Lage in die Köpfe der Bevölkerung transportieren konnten. Diese Pandemie sei die größte Herausforderung seit dem Zweiten Weltkrieg, sagte die Kanzlerin. Und sofort fingen die Bürger an, in sozialen Netzwerken darüber zu diskutieren, warum die Aussage der Kanzlerin falsch und überzogen sei. Die Mehrheit war sich einig: Es hatte schon größere Herausforderungen nach dem Zweiten Weltkrieg gegeben. Die einen dachten an den Mauerbau, die anderen an die Wiedervereinigung. Die Bundeskanzlerin formulierte ihre Botschaft neu. Sichtlich mitgenommen ernannte sie die

Pandemie zum Jahrhundertereignis. Das beeindruckte auch niemanden.

Wir leben in einer volatilen Welt, alles fließt, nur der Wandel bleibt konstant. Unsere Zeitrechnung läuft wie der Countdown bei einer Bombe, wie eine Stoppuhr, die nicht zu stoppen ist. Die Jahre rauschen an uns vorbei, und jedes Jahr kommt ein Jahrhundertereignis zustande, sei es das Hochwasser 2005, die Studie zum Abschmelzen der Polkappen 2011 oder die 2:5-Niederlage Bayern Münchens gegen Borussia Dortmund im Jahr 2012. Im Grunde begleiten uns Jahrhundertereignisse auf Schritt und Schritt. Jeder Tag ist einmalig und kommt nie wieder vor. Nur die Verstorbenen haben keine Ereignisse mehr zu befürchten, aber die Lebenden gieren danach.

Kunst- und Kultureinrichtungen

Schon im milderen Teil-Lockdown waren Kunst- und Kultureinrichtungen neben Kneipen und Restaurants als erster Kollateralschaden im Kampf gegen das Virus geopfert worden. Ihr Besuch wurde als nicht lebensnotwendige Freizeitaktivität eingestuft. Theater, Kinos, Konzertsäle – in diesen Einrichtungen trafen Menschen aufeinander, ohne dass sie tatsächlich etwas Wichtiges zu erledigen oder einander mitzuteilen hatten. Sie schauten lediglich anderen dabei zu, wie sie sangen, tanzten, etwas vortrugen und musizierten. Sie brachten jede Menge Luft in Bewegung, was in geschlossenen Räumen besonders gefährlich war und die Ansteckungsgefahr erhöhte. Außerdem neigten Kunst und Kultur dazu, der Gesellschaft einen Spiegel vorzuhalten und jedes Machtwort zu hinterfragen. Künstler und Kulturschaffende könnten ja zur Not ihre Kulturproduktion im Homeoffice fortsetzen und über das Internet verbreiten, hieß es. Die Vorstellung, dass Kunst und Kultur möglicherweise die einzig wirksame Medizin sein könnten, wenn nicht gegen das Virus selbst, dann gegen den psychischen Schaden, den die Pandemie und die damit verbundene Selbstisolation anrichteten, diese Vorstellung wurde nicht ernsthaft erwogen.

*L*ockdown

Rasches Herunterfahren des öffentlichen Lebens, verbunden mit strenger Selbstisolation der Bevölkerung – in einem Wort: Lockdown. Der Begriff wurde in England zum Wort des Jahres 2020 ernannt. Direkt ins Deutsche übersetzt würde er »Einschluss« bedeuten. Die Menschen sollten sich einschließen und möglichst wenig bewegen. »Endlich sind alle am Abhängen«, bemerkte mein Sohn dazu. Früher dachte er, die Zukunft gehöre dem Fliegen. Er hat als Kind sehr viele Science-Fiction-Filme gesehen, die von fliegenden Autos, fliegenden Menschen oder fliegenden Häusern erzählten. In der Pandemie hat sich das Fliegen als nicht zeitkonforme Fortbewegungsart erledigt.

Fliegen war out, Abhängen war in. »Don't lock me down«, würden die Beatles heute singen.

Natürlich haben die Deutschen diese einfache Formel des Einschlusses nicht blind übernommen, sie haben den Lockdown im Rahmen einer heimischen Infektionsschutz-maßnahmenverordnung vertieft und ausgearbeitet. Man unterschied hierzulande zwischen hartem und strengem Lockdown, Lockdown light und Teil-Lockdown sowie einem Lockdown mit Verlängerung. Auch die Lockdown-Lockerungen kamen immer wieder auf den politischen Speiseplan. Mit der Zeit hat sich der Lockdown als beinahe perfekte Form der gesellschaftlichen Verwaltung erwiesen, Zuckerbrot und Peitsche in einem. Je härter die Ausgangssperren wurden, umso mehr Zustimmung fand der politische Betrieb bei der Bevölkerung, und umso größer war die Freude, wenn die Friseursalons plötzlich wieder öffnen durften. Es wurde als großer Sieg der Politik im Kampf gegen das Virus gefeiert.

Maskenpflicht

Am Anfang belächelt und verschmäht, später angehimmelt und begehrt – der Mund-Nasen-Schutz hat uns durch die gesamte Zeit der Pandemie begleitet. Das Corona-Kabinett äußerte sich zunächst recht skeptisch, was den Nutzen des Maskentragens anging. Die Viren waren zu klein und durch eine Stoffschicht nicht aufzuhalten. Sie wür-

den durch jede Maske gleiten wie ein heißes Messer durch
Butter, so die offizielle Meinung. Und wenn man schon zur
Selbstberuhigung eine Maske tragen wollte, müsste man
sie eigentlich täglich wechseln oder waschen, damit man
selbst nicht zu einem Virensauger wurde. Eine klare Empfehlung zur Maske kam lange Zeit nicht. Wie auch? Es
wäre unmöglich gewesen, ein so großes Land wie Deutschland in kurzer Zeit vollständig mit Masken zu versorgen.
Im Verlauf der Pandemie änderte sich die Meinung. Es
hieß plötzlich, nicht alle Viren sickerten durch, einige blieben im Stoff stecken. Maskenträger würden in erste Linie
nicht sich selbst, sondern die anderen schützen. Und wenn
alle Bürger ihre Gesichter verdeckten, um andere zu schützen, wären alle geschützt. Dann würde die Gefahr einer
Ansteckung kontinuierlich sinken. Die Kanzlerin persönlich wandte sich an die Bevölkerung mit Herzenswärme in
der Stimme. »Wenn wir jetzt alle zusammen gleichzeitig
und entschieden unsere Gesichter bedecken, bleibt das Virus im Stoff gefangen«, sagte sie sinngemäß.

Masken zu tragen war auf einmal unabdingbar. Bloß gab
es in der Apotheke keine. Die Menschen zeigten Krea-
tivität und bastelten sich selbst Masken zurecht. Meine
Mutter wandelte mehrere Seidentücher, die sie von ihrer
Schwester Jahr für Jahr aus Moskau zum Geburtstag geschenkt bekommen hatte, in Mund-Nasen-Schutzmasken
um. Mein Sohn faltete sein schwarzes Anarchorebellen-

Tuch zu einer Maske und sah damit aus wie ein Bankräuber aus einem Hollywood-Film. Dann kam die große Lieferung in die Apotheken. Warum so spät?, fragten freche Journalisten und begannen zu recherchieren. Angeblich hatte die Regierung bewusst die entscheidende Rolle der Masken im Kampf gegen das Virus heruntergespielt, weil sie nicht in der Lage gewesen war, genügend von ihnen zu besorgen. Aber gut, eine Demokratie unterscheidet sich von einer Diktatur nicht dadurch, dass sie keine Fehler macht, sondern dadurch, dass sie ihre Fehler zugibt und sich traut, aus ihnen zu lernen. Schon bald gab es in Deutschland mehr Masken, als die Bevölkerung ertragen konnte. Milliarden von ihnen wurden – zum großen Teil in China – eingekauft. Mehr als genug, um ganz Deutschland dauerhaft zu maskieren. Die Masken lagen jetzt überall auf dem Boden herum: in Toiletten, auf Kinderspielplätzen und einfach auf der Straße.

Ab sofort war ein wichtiger Bestandteil jedes neuen Lockdowns auch eine strengere Maskenpflicht. Zuerst nur in der S-Bahn und im Nahverkehr, in Restaurants und Cafés, bei Friseuren, in Geschäften und in den Schulen. Als alle diese Einrichtungen nach und nach zugemacht wurden, kam es zur Maskenpflicht für Fußgänger in besonders belebten Straßen. In manchen Städten wurde sogar eine vollständige Maskenpflicht eingeführt.

Zu Beginn der dritten Welle wurden selbstgenähte Masken verboten, es sollten nur noch spezielle Masken getragen werden, die wie der Latz einer Männerunterhose aussahen. Aber die waren teuer. Daher wurden sie an vielen Orten fast kostenlos an Risikogruppen verteilt. In Berlin bekamen alle Rentner vom Bürgermeister einen Gutschein für sechs robuste Latz-Masken des Typs FFP2, die doppelt so dick wie Stoffmasken waren und doppelt so viel Gesundheit versprachen. Meine Mutter bekam den Brief mit den Gutscheinen Mitte Januar. In dem Schreiben stand, sie solle ihre gesundheitserhaltenden Masken bitte bis zum 6. Januar abholen. Mama hat die ganze Nacht nicht geschlafen.

»Es ist etwas Schreckliches passiert!«, berichtete sie mir. »Ich habe es versäumt, meine Masken abzuholen. Ich bin erledigt! Was soll ich nun tun?«

Später stellte sich heraus, den falschen Brief hatten alle Großmütter und Großväter bekommen. Durch einen Fehler in der Verwaltung war die frohe Botschaft später verschickt worden als ursprünglich geplant. Die nette Apothekerin hat uns angelächelt und die Masken ausgehändigt. Meine Mutter konnte sie aber nicht tragen, weil sie zu dick waren. Sie bekam unter der Maske keine Luft. Außerdem konnte sie diese FFP2-Maske nicht unter der Nase tragen, wie sie für gewöhnlich ihre Stoffmasken trug. Sie hat die gesunden Masken gerecht unter ihren Enkeln verteilt.

Null-Fälle-Strategie

Im Kampf gegen das Virus zerbrachen sich Politiker und Mediziner den Kopf, wie das kleine Ding unter Kontrolle zu bekommen war. Ein Lockdown jagte den nächsten, die Maßnahmen wurden immer weiter verschärft, Ausgangssperren eingeführt, die Projekte »stille Straße« und »stille Bahn« vereinbart, was bedeutete, dass die Menschen in der Öffentlichkeit den Mund halten sollten, damit sie keinen Unsinn redeten und keine Aerosole ausstießen. Die Bürgerinnen und Bürger gaben sich Mühe. Wenn sich in der S-Bahn jemand nach der Uhrzeit erkundigte, schwiegen alle Passagiere wie Partisanen zu Gestapozeiten. Es schien, als würde das ganze Land zum ersten Mal in seiner Geschichte zu schweigen lernen, mit Ausnahme der Politiker und anderer systemrelevanter Gruppen, versteht sich.

Eine Weile ging das gut, doch dann kam es wie in der berühmten Fabel »Der Rabe und der Fuchs«: Einer machte den Mund auf, das Virus kam heraus und spazierte gleich beim Nächsten wieder hinein. Die Fallzahlen stiegen, neue, ansteckendere Mutationen aus der ganzen Welt stießen dazu. Politiker und ihre Berater konnten sich ihre Verordnungen und Erlasse aufs Brot schmieren, nichts half. Aus dieser Hilflosigkeit und Verzweiflung heraus kam die Null-Fälle-Strategie: Wir sollten das komplette Leben im Land herunterfahren, uns totstellen, nichts sollte sich bewegen. Da Viren sich ohne Menschen nicht verbreiten konnten, würden sie verhungern und sterben. Oder sie gingen zurück zu ihren Fledermäusen oder Flughunden. Und wenn uns alle Viren endgültig verlassen hatten, würden wir erst recht zu Hause bleiben. Schließlich konnte es ja jederzeit passieren, dass sie zurückkamen. Dieses Spiel hatten wir schon in vielen Lockdowns durchgespielt. Kaum steckten wir die Nase aus der Tür, schon waren die Viecher wieder da.

Etliche Politiker verteufelten die Null-Fälle-Strategie als gut getarnten Versuch, den Kapitalismus abzuschaffen. »Dieser Weg führt ins Nichts«, sagten sie. »Genauso gut können wir uns gleich alle aufhängen, um dem Virus eins auszuwischen. Es ist aber nicht realisierbar, dass sich alle gleichzeitig aus dem Staub machen. Einer muss ja dableiben, um das Ableben der Viren zu dokumentieren und eine entsprechende Verordnung zu verkünden.«

Damit war das Konzept der Null-Fälle-Strategie vom Tisch.

Ordnungsamt

»Es mangelt nicht an Einschränkungen und Sperren, es mangelt an Kontrolle«, stellte das Corona-Kabinett mitten in der zweiten Welle fest. Ganz so ordnungstreu und pflichtbewusst wie ihr Ruf waren die Deutschen wohl doch nicht. Die neuen Gesetze wurden zwar formal von der Bevölkerung unterstützt, aber man nahm sie sich nicht wirklich zu Herzen. Die Menschen gingen aus dem Haus, hielten die vorgeschriebene Quarantäne nicht ein, einige hatten sogar gelernt, am Computer PCR-Tests zu fälschen, und kaum wurde die Ausgangssperre ins Gespräch gebracht, schon wurden im Internet günstig Uniformen von Lieferando und anderen Zustelldiensten angeboten, weil ihre Mitarbeiter angeblich zu den wenigen gehörten, die auch zu später Stunde noch unterwegs sein durften. Bundesregierung und Landesregierungen übertrafen einander im Fabrizieren neuer Verordnungen und Formulare. Doch wer sollte deren Einhaltung durchsetzen? Die Polizei allein war dieser Aufgabe nicht gewachsen. An diesem Punkt stiegen die Ordnungsämter zu den wichtigsten Vollstreckern der neuen Verordnungen auf. Ihre Mitarbeiter, die bis vor Kurzem noch unermüdlich falsch geparkte Autos kontrolliert hatten, konnten ab sofort auch deren Besitzer von der Straße fegen. Einige Patrouillen des Ordnungsamtes marschierten zu Silvester auf meiner Straße hin und her, und ein Pärchen klingelte sogar bei unserem Nachbarn, weil auf dem Balkon neben seinem angeblich unerlaubt viele Personen standen und rauchten. Der Nachbar hat die Tür nicht aufgemacht. Mir gegenüber erzählte er später, Artikel 13 des Grundgesetzes hätte ihm das erlaubt.

*P*räsenzunterricht

Der Präsenzunterricht ist eine wichtige Errungenschaft der Aufklärung. Er bedeutet, dass sich Schüler und Lehrer gleichzeitig in einem Klassenraum befinden. Das ging in der Corona-Zeit natürlich nicht. Nicht alle waren bereit, für die Ideale der Allgemeinbildung zu sterben.

»Wir sind eine Risikogruppe«, sagten die Lehrerinnen und Lehrer. »Aber wir werden anders als das Personal in Pflegeheimen nicht einmal priorisiert getestet, geschweige denn geimpft. Hat die Regierung eine Ahnung, wie oft jemand in einer Schulklasse hustet? Wie viele Rotznasen in so einer Klasse dicht nebeneinandersitzen? Und wenn nur eine von denen das Virus hat, dann helfen keine Masken und keine Lüftung. Dann sind wir alle so gut wie tot.«

Bildung war traditionell eine heilige Kuh unseres Landes. In Zeiten des Hungers, des Krieges und der Not wurde der Unterricht nicht unterbrochen, es wurde weiter fleißig gelernt. Man versuchte auch diesmal verzweifelt, das Virus auszutricksen. Aber nichts half, keine Einteilung der Schüler in kleine Gruppen, kein Wechselunterricht für die Abschlussklassen und keine Notbetreuung für die Grundschüler. Irgendwann beim Auslaufen der zweiten und zu Beginn der dritten Welle wurde in Berlin die generelle Präsenzpflicht im Unterricht aufgehoben. Lehrer mussten nicht mehr zur Schule gehen und Schüler auch nicht. Einige freuten sich leichtsinnigerweise darüber. Sie haben nicht darüber nachgedacht, dass sie alle ihr Corona-Jahr nachsitzen werden.

*Q*uerdenker

Deutschland, auch als Land der Dichter und Denker bekannt, wurde in der Pandemie zum Land der Denker und Querdenker. Alle Bürger, die nicht parallel zu den Regierenden und Virologen dachten, sondern sich bei den Maßnahmen gegen das Virus querstellten, wurden Querdenker genannt. Dabei waren es recht unterschiedliche Bevölkerungsgruppen, die der Corona-Politik misstrauten. Die Verschwörungstheoretiker glaubten, das Virus stamme gar nicht von der verspeisten Fledermaus oder dem Flughund, sondern sei von amerikanischen Spezialisten in einem geheimen chinesischen Labor freigesetzt worden, um die bröckelnde Weltherrschaft Amerikas wiederherzustellen und dem aufkommenden Rivalen der einstigen Supermacht eins auszuwischen.

Die Chinesen parierten den Angriff und ließen ihre infizierten Bürger in Scharen nach Amerika und Europa fliegen. »Wenn wir schon untergehen, dann alle zusammen«, sagte die chinesische Führung. Sie übte Rache. Andere Querdenker behaupteten, das Virus sei eine einfache Grippe, und die Angst davor werde extra geschürt, um die Menschen zu »chipisieren«. Damit war gemeint, man wolle uns mit einer Injektion, die angeblich vor dem Virus schützte, in Wahrheit einen Chip implantieren, der jeden Bürger willenlos und zum Sklaven des Systems machte.

Wieder andere behaupteten, hinter Corona würde das

verfluchte Weltkapital stecken, die wahre Regierung unseres Planeten. Das Weltkapital habe erkannt, dass die Demokratie dringend abgeschafft werden musste. Wenn man das Volk nämlich demokratisch wählen ließ, würde es immer diejenigen wählen, die ihm mehr Zuschüsse, mehr Lohn und mehr Unterstützung versprachen wie Kindergeld oder Arbeitslosenhilfe. Auf diese Weise wurden nur Populisten gewählt, die immer tiefer in die Tasche des Weltkapitals griffen. Um das zu verhindern, hatte das Weltkapital das Virus erfunden und auf die Menschen losgelassen, damit sie von zu Hause arbeiteten, allen Anweisungen des Kapitals folgten und nicht einmal im Traum daran dachten, das System zu hinterfragen.

Das Querdenken wurde in den deutschen Medien mit aller Kraft geschmäht und verspottet. Jeder Ketzer, der das Virus infrage stellte, wurde vor den Augen der Öffentlichkeit zum Vollidioten gemacht. Aus meiner Sicht völlig zu Recht. Der naive Glaube, hinter den überforderten Bürokraten im Homeoffice, die uns verwalteten, würde irgendeine intelligente Macht stehen, zeugt von deren hoffnungsloser Überschätzung. Das gefürchtete System ist nur eine Spielhalle, es blinkt und klirrt, wirft aber keinen Gewinn aus.

Remdesivir

Überall auf der Welt suchten Mediziner nach einem Heilmittel, einem Medikament, das, wenn schon nicht das Virus töten, so doch zumindest die erheblichen gesundheitlichen Schäden, die es verursachte, mindern könnte. Das Virus griff nämlich nicht nur die Lungen der Betroffenen an, angeblich hinterließ es auch schwere Gehirnschäden, stürzte Menschen in Depressionen oder sorgte für Ausbrüche von Aggressivität. Durch den verringerten Transport von Sauerstoff ins Gehirn konnte das Virus außerdem die allgemeine Verblödung der Menschheit beschleunigen.

Die Suche nach dem richtigen Medikament blieb erfolglos. Es gab weit und breit keine Pille, die wir schlucken konnten, um uns vor diesem Übel zu schützen. Eine Zeit lang schien Remdesivir ein solches Medikament zu sein. Einst erfunden, um die tödliche Seuche Ebola zu bekämpfen, eine Krankheit, die Barack Obama, der 44. amerikanische Präsident, neben islamistischem Terror und dem russischen Präsidenten Putin zu einer der größten Gefahren für die freie Welt auserkoren hatte. Dieses Medikament könnte möglicherweise im Kampf gegen Corona seine Wirkung zeigen, wurde gesagt. Allerdings stand unter seinen Nebenwirkungen genau das, was man für die Symptome eines schweren Corona-Verlaufs hielt: Aggressivität, Depression, Orientierungslosigkeit und Verblödung.

Es konnte nicht endgültig geklärt werden, was schlimmer für die Gesundheit war, Remdesivir oder Corona. Trotzdem fand das Medikament einige namhafte Unterstützer, in erster Linie den 45. amerikanischen Präsidenten, Donald Trump, der für Remdesivir Werbung machte, nachdem er mitten in der zweiten Welle an Corona erkrankt war. »Ich nehme es jeden Tag!«, twitterte der Präsident, »das Zeug ist fantastisch! Ich habe mich noch nie so gut gefühlt, mein Kopf war noch nie so klar. Melania ist auch ganz glücklich, sie sagt mir jeden Abend, ich soll mehr davon nehmen. Ich konnte noch nie so lange und so gut über die Zukunft Amerikas nachdenken!«, japste Trump. Doch von außen konnte man nicht unterscheiden, ob seine Stimmung, eine Mischung aus Aggressivität und Orientierungslosigkeit, Corona geschuldet oder dem Medikament zu verdanken war oder einfach seiner Natur entsprach.

Ich denke, Remdesivir hat ihm schon übel mitgespielt. Mitten im Wahlkampf zu seiner Wiederwahl verfiel er in eine tiefe Depression und verlor.

*S*putnik V

Sputnik heißt auf Deutsch »Begleiter«. In der Sowjetunion bezeichnete man damit Satelliten, die, ins All geschossen, unseren Planeten bei einem Umlauf um die Sonne begleiteten, amerikanische Raketenstellungen ausspionierten und die Bewegungen feindlicher Truppen beobachteten. Ihre primäre Aufgabe war es, den Kalten Krieg ein für alle Mal zu beenden und die Welt von den Fesseln des Kapitalismus zu befreien. Mittlerweile ist die Sowjetunion längst

Geschichte, der Kalte Krieg aber noch immer da. Deswegen bekam das russische Vakzin den Namen »Sputnik«. Es sollte Russlands neues Wundermittel werden, das nicht nur das eigene Land, sondern die ganze Welt, wenn schon nicht vom Kapitalismus, dann zumindest von dem Virus befreite.

Das Zeug war sogar richtig gut. Es hätte durchaus klappen können. Russlands Institute waren mit der Herstellung des Impfstoffs bestens vertraut, sie hatten als erste Proben des Virus aus China bekommen. Seitdem hatten die besten Wissenschaftler Tag und Nacht an einem Impfstoff gearbeitet, und der Präsident hatte das Vakzin zur Chefsache erklärt. Die russischen Labore waren als erste in der Welt mit der Herstellung des Vakzins fertig, es fehlten nur noch die langweiligen Testphasen. Dabei sollte eine große Gruppe von Probanden das Sputnik-Mittel injiziert bekommen, eine andere große Gruppe nur ein Placebo. Wenn alles gut ging, würde man nach einem Monat in der ersten Gruppe weniger Infizierte finden, während die zweite Gruppe dem Virus Tribut zahlen musste.

Nach einem Monat prüfte man die Probanden. In der ersten Gruppe war keine einzige Person an Corona erkrankt! In der zweiten Gruppe allerdings auch nicht. Das Experiment wurde verlängert mit demselben, laut Statistik unmöglichen Ergebnis. Man vermutete, Korruption und Vetternwirtschaft, die in alle Poren der russischen Gesellschaft eingedrungen waren, hätten dem Land auch bei der Herstellung und Verabreichung von Sputnik V übel mitgespielt. Wahrscheinlich hatten es die Probanden aus der Placebo-Gruppe durch vertraulich-freundliche Gespräche mit den Ärzten geschafft, ebenfalls mit dem richtigen Vakzin geimpft zu werden. Die dritte Testphase wurde wegen Sinnlosigkeit vorzeitig abgebrochen, die Wirksamkeit des Impfstoffes vom Präsidenten persönlich auf mehr als hundert Prozent festgelegt. Nur die internationale Anerkennung und Zertifizierung des Impfstoffes ließen erst einmal auf sich warten.

*T*estmedikament

Die Menschheit hat im Laufe ihrer Geschichte schon alle möglichen Krankheiten erfolgreich bekämpft und Millionen verschiedene Arzneien erfunden. Obwohl man eigentlich gar nichts hätte erfinden müssen. Flora und Fauna unseres Planeten bieten eine schier unerschöpfliche Quelle gesundheitsfördernder und lebensrettender Substanzen. Jenseits der kapitalistischen Haie der Pharmaindustrie bietet uns die Volksmedizin Heil und Schutz. Sie beruht auf der Weisheit des Volkes. Nicht erst seit gestern wissen wir, dass jede Pflanze und viele Lebewesen für irgendetwas gut sein können. Gegen psychische Verstimmung helfen Katzen besser als Antidepressiva, und aus den Walnüssen gewonnener Schnaps kann unheilbar kranke Patienten wieder auf die Beine oder zumindest in die Hocke bringen. Alles nur eine Frage der richtigen Dosierung.

Bestimmt hatte die Natur etwas im Angebot, was auch gegen das Corona-Virus helfen würde, dachten meine Landsleute, große Freunde der Volksmedizin. Knoblauch? Honig? Wodka mit Zitrone? Sanddorn mit Pferdemilch? Soja mit Bier? Es wurde ununterbrochen getestet und experimentiert. Und es hat geholfen – nämlich dabei, die Hoffnung nicht zu verlieren und den Glauben zu behalten, dass es auch ein Leben nach Corona gab. Und was konnte heilsamer sein als das.

*Ü*bersterblichkeit

Dieses hässliche Wort wurde zum Zankapfel der pandemischen Aufklärung. Jeden Tag las man in der Zeitung, wie viele Menschen in den letzten 24 Stunden »an und mit Corona« verstorben waren. Dieses »an und mit« machte viele misstrauisch. Eigentlich schloss das eine das andere aus. Wenn du mit Corona gestorben bist, kannst du nicht an Corona sterben. Brachte das Virus uns mehr Tote und wenn ja, wie viele? Der Bayerische Ministerpräsident jagte dem Land richtig Angst ein. Er redete sich heiß im Fernsehen und sagte mit tiefer Trauer in der Stimme, alle drei Minuten würde in Deutschland jemand sterben. Dies sei ein untragbarer Zustand, den wir nicht hinnehmen könnten. Den Menschen blieb der Atem in der Brust stecken. Zum ersten Mal hat sich eine Regierung das Leid der Menschen wirklich zu Herzen genommen und dem Tod den Krieg erklärt. Das Problem war lange totgeschwiegen worden, doch in der Tat starben jedes Jahr in Deutschland fast eine Million Menschen. Selbstverständlich nicht gleichzeitig, sondern nach und nach. Es fiel im alltäglichen Leben nicht sonderlich auf, wenn man Friedhöfe mied und die Traueranzeigen in den Zeitungen schnell überblätterte. Der Bayerische Ministerpräsident hat nicht gelogen. Auf die Minuten umgerechnet kam man auf die von ihm genannte Zahl. Alle drei Minuten verabschiedete sich irgendjemand, Monat für Monat, Jahr für Jahr, ob mit, an oder ohne Corona. In Ländern mit einer größeren Bevölkerung als Deutschland, wie beispielsweise China oder Indien, waren es wahrscheinlich alle zehn Sekunden ein Dutzend, und keine Krähe krähte nach ihnen.

Die Frage, die dringend geklärt werden musste, lautete: War unser Dreiminutentakt durch Corona nicht mehr zu halten? Sterblich zu sein, daran hatten wir uns einigermaßen gewöhnt, aber übersterblich? Diesem Phänomen entgegenzutreten, das wäre eine Herausforderung sondergleichen. Alle Zeitungen und Bildschirme waren voll von Grafiken und Tabellen, die unsere Übersterblichkeit genau zu berechnen versuchten. Das hässliche Wort verursachte größere Angst als das Virus. Es vermittelte den Eindruck, dass es etwas noch Schlimmeres gab als den Tod, nämlich den Übertod.

*V*erschärfung

Seit dreißig Jahren lese ich deutsche Nachrichten, dabei war nur selten von einer »Verschärfung« die Rede. Viel öfter ging es um Entschärfungen. Im Regelfall betraf das eine alte kaputte Bombe, die seit dem Zweiten Weltkrieg im Busch gelegen war und auf ihre Entschärfung gewartet hatte. Nun wurde die »Verschärfung« zum Wort des Corona-Jahres. Alles musste andauernd verschärft werden: die Anti-Corona-Maßnahmen, der Lockdown, die Einreiseregeln aus Risikogebieten und die Quarantäne. Was auch immer die Regierung beschloss, ein paar Tage später musste es verschärft werden.

Verschärfungen hatten sich als wirksames Mittel im Kampf gegen das Virus erwiesen, scheiterten aber irgendwann an ihren natürlichen Grenzen. Nachdem der Kreis der Kontaktpersonen in meiner Quarantäne auf die eigene Person reduziert worden war, konnte der Kreis um meine Person nicht mehr verschärft eingeschränkt werden. Zum Glück gab es noch immer andere freche Personen in Freiheit, die eine Verschärfung gut gebrauchen konnten. Über andere Isolationsmaßnahmen machten die User in den sozialen Medien schnell Witze: »Jetzt wird gesagt, man könnte an Weihnachten mit zehn Leuten ohne Probleme feiern. Aber wer kennt schon zehn Leute ohne Probleme?«

*W*uhan

Wuhan wurde in der Pandemie zur bekanntesten chinesischen Stadt, noch rühmlicher als Peking. Ausgerechnet dort, auf einem Frischemarkt – dem sogenannten »nassen Markt« –, der auch exotische Tiere im Angebot hatte, habe angeblich eine chinesische Frau eine niesende Fledermaus oder einen Flughund nicht durchgebraten serviert.

In der Zeit der Selbstisolation in Berlin, ohne Restaurants oder Trattorien, angewiesen auf die eigene Küche, haben wir unsere Kochkünste unsäglich verschärft. Dabei hat das Wort »Wuhan« eine zweite Bedeutung bekommen, es wurde zum Inbegriff hemmungsloser Völlerei. Wenn ich vorhatte, etwas Geiles zu kochen, und meine Kinder anrief, wollten sie immer vorher wissen, worauf sie sich einließen. »Lass uns aber bitte heute etwas Vegetarisches essen«, sagten meine Kinder. »Lass uns Pasta oder Pizza bestellen, ein bisschen Salat, Papa. Mach bitte kein Wuhan, versprochen?«

*X*boxer

Spielkonsolen halfen der Jugend, die Abwesenheit des Präsenzunterrichts zu überwinden. Mein Sohn holte seine alte Xbox vom Regal, wischte den Staub weg und spielte alle Spiele seiner Kindheit noch einmal mit Gefühl und Ausdauer durch. Dafür bekam er in der Familie den Spitznamen Xboxer.

Zu Beginn der dritten Welle kam *Cyberpunk* auf den Markt, ein Spiel der neuen Generation, das laut Werbung ein unvergessliches Ereignis sein sollte. Kleine Kinder sollten es allerdings nicht spielen. Man konnte in dieser Game-Welt mit dem Auto auf dem Fußweg fahren, wahllos auf Menschen schießen und Häuser zum Einsturz bringen. Stattdessen ging mein Sohn im Spiel einfach spazieren. In *Cyberpunk* sah man eine Menge Menschen auf der Straße, die einander alle ohne Maske und ohne Abstand umarmen durften, die Bars waren offen, und das Reisen war nicht verboten. Es war eine verrückte Welt, eigentlich wie bei uns vor Corona. Sebastian hat einmal 72 Stunden am Stück gespielt, wir hatten schon Angst, er käme nicht mehr zurück.

YouTube

Eine Welle jagte die nächste, ein Lockdown nach dem anderen erstickte das öffentliche Leben im Keim. Die Menschen wurden an die Bildschirme gefesselt. Schnell waren alle Serien auf Netflix durchgeschaut, die Kinos waren geschlossen, es blieb nur YouTube, ein bodenloses Fass der Volkskunst. Der YouTube-Kanal hat uns als bester aller Unterhaltungssender durch die Pandemie gebracht. Die Quoten auf YouTube waren mit den Fernsehquoten nicht zu vergleichen. Besonders scharfe Filme, die uns Hoffnung gaben und dabei halfen, die Lust am Leben nicht zu verlieren, wurden Milliarden Mal angeklickt: wie eine Katze mit dem Maul im Milchglas stecken blieb, wie ein Mädchen in der Badewanne ausrutschte und wie die Waschbären Würstchen klauten.

Zoom

Unzählige Streams, Onlinelesungen und Konferenzen habe ich in der Zeit der Corona-Krise durchgemacht, meistens mit dem Zoom-Programm. Deutsche Beamte durften Zoom, eine amerikanische Software, nicht benutzen, weil die Amerikaner angeblich mit diesem Programm alle Daten der Nutzer speichern und wichtige Informationen über das Leben jedes einzelnen deutschen Bürgers sammeln konnten. Ich glaubte nicht, dass solche Informationen für die Amerikaner wertvoll sein könnten, als freier Künstler durfte ich das Programm benutzen.

Auch Studenten besuchten ihre Uni-Vorlesungen über Zoom. Dort bekam die neue Welt klare Konturen, und der Traum von einer genderneutralen, nicht rassistischen Gesellschaft wurde Wirklichkeit. In den kleinen Fensterchen auf dem Bildschirm sahen nämlich alle Menschen gleich aus. Man konnte weder Geschlecht noch Hautfarbe erkennen noch überhaupt verstehen, was sie sagten. Zoom war digitaler Kommunismus. Alle waren gleich, bemühten sich nach Möglichkeit und hatten nur ein Bedürfnis: den Laptop schnell wieder auszumachen und zu hoffen, dass dieser Online-Albtraum bald aufhörte und das wahre Leben begann.

Wladimir Kaminer wurde 1967 in Moskau geboren, wo er eine Ausbildung zum Toningenieur für Theater und Rundfunk absolvierte. Seit 1990 lebt er in Berlin. Er selbst sieht sich als Weltbürger und sagt, er sei privat Russe, beruflich deutscher Schriftsteller. Mit seiner Erzählsammlung »Russendisko« sowie zahlreichen weiteren Bestsellern avancierte er zu einem der beliebtesten und gefragtesten Autoren Deutschlands. Er ist auch journalistisch tätig, verfasst Artikel für Zeitungen und Zeitschriften und geht mit *Kaminer Inside* für 3sat auf immer neue Entdeckungstouren, um Menschen im In- und Ausland kennenzulernen oder einen Blick hinter die Kulissen bekannter Gebäude zu werfen.

Alle Bücher von Wladimir Kaminer gibt es auch als Hörbuch, von ihm selbst gelesen.

Weitere Informationen zu Wladimir Kaminer finden Sie unter www.wladimirkaminer.de.

züge durch die russische Literatur • Rotkäppchen raucht auf dem Balkon – und andere Familiengeschichten • Der verlorene Sommer – Deutschland raucht auf dem Balkon. Erzählungen • Die Wellenreiter. Geschichten aus dem neuen Deutschland

Sämtliche Titel sind auch als ■ E-Book erhältlich.